나는 사혈하고,
세포는 치료한다

실천사혈/실천생리학

나는 사혈하고
세포는 치료한다

김연순 엮음

mir

|들어가는 말|

"지인이 어떤 질환에 대해 질문하셨는데, 머릿속에서는 맴도는데 입 밖으로 바로 나오지 않아요. 아무래도 두통 사혈을 해야 할 것 같아요. 몇 번을 반복해서 보고 들어도 기억이 나지 않아 답답합니다."

이 책은 이런 분들을 위해 엮었습니다. 심천사혈·심천생리학의 매력에 푹 빠져있고 얼마나 큰 가치가 있는 공부인지는 알지만, 누군가에게 설명하려고 하면 도통 생각이 나지 않는다는 교육생 분들이 많습니다. 이분들에게 조금이나마 도움이 되었으면 하는 마음으로 심천선생님의 주옥같은 말씀들을 한곳에 모았습니다.

이 책은 기본과정을 수료한 회원분들을 위한 책으로, 심천사혈·심천생리학을 열심히 공부하고 있는 회원분들에게 이 책을 바칩니다.

2024. 3월

한의학 박사 김연준

차례

들어가는 말 ········· 4

001. 가장 원만한 사회생활 ········· 13
002. 간염의 이해 ········· 14
003. 강산에 의해 발생하는 질병 ········· 16
004. 강산의 산화와 조혈 기능 ········· 17
005. 갱년기 갑상선 기능의 개선 ········· 18
006. 갱년기 뇌파 장애의 신경선 합선 ········· 19
007. 갱년기 뇌혈관 질환의 개선 ········· 20
008. 갱년기 생리 질환의 개선 ········· 21
009. 갱년기 심신미약의 개선 ········· 22
010. 갱년기 탁혈의 개선 ········· 23

011. 고지혈증 핵심 원리 ········· 24
012. 고지혈증·고혈압·당뇨병의 차이점 ········· 26
013. 고지혈증과 두통 원인의 이해 ········· 27
014. 고혈압의 진단시각 차이 ········· 29

015. 기본사혈 핵심기능 5가지 ······ 31
016. 기존 치료법의 이치 ······ 32
017. 내 운명 결정은 누가 할까? ······ 35
018. 뇌출혈과 뇌경색 구분하는 법 ······ 36
019. 단순 고혈압, 본태성 고혈압 ······ 37
020. 단순 어혈 개념과 접근방법 ······ 39

021. 담석 물질 어혈 개념과 접근방법 ······ 40
022. 대인기피증 ······ 41
023. 독의 생성이론 ······ 42
024. 마음의 이치 ······ 43
025. 말기 암 환자의 심한 통증 ······ 44
026. 말초모세혈관과 중병 ······ 45
027. 맛과 약리 기능의 구분 ······ 46
028. '먹이사슬 연결고리'와 '마지막 장기' ······ 47
029. 면역기능 강화를 위한 효과적인 방법 ······ 51
030. 면역기능과 감기의 관계 ······ 52

031. 몰아 빼기 사혈에 꼭 필요한 준비사항 ······ 53
032. 몸과 마음의 건강 ······ 54
033. 몸의 자동화 시스템 ······ 55
034. 무호흡증 ······ 56
035. 물혹의 생성 과정 ······ 57
036. 복수에 대한 이해 ······ 59
037. 부모와 자식 관계 ······ 61

038. 불치병 특징 ···· 62
039. 사람 운명의 출발점? ···· 63
040. 사혈 중, 염분보충의 목적은? ···· 64

041. 사혈 후, 복원 시점은? ···· 65
042. 사혈로 생긴 수포 ···· 66
043. 사혈한 자리가 단단할 때 ···· 67
044. 사회생활 잘 하는 법 ···· 69
045. 산도가 높아지면 발생하는 현상 ···· 70
046. 생명의 이치 공식 ···· 71
047. 생명의 이치 시각 ···· 72
048. 생명체 진화와 환경 요인 ···· 73
049. 설사 원리와 해결방법 ···· 74
050. 섬유질화 된 어혈의 개념과 접근방법 ···· 76

051. 섬유질화 된 어혈을 사혈할 때 ···· 77
052. 성공의 기본적인 조건 ···· 78
053. 세균과 장 내 환경 ···· 79
054. 세포분열과 암의 발생 원리 ···· 80
055. 세포분열과 인체의 복원능력 ···· 81
056. 식성으로 판단하는 장기회복 ···· 82
057. 신장과 간 기능 저하 단계별 질병 ···· 83
058. 신장기능이 떨어진 원인 ···· 85
059. 심천생리학 처방의 목적 ···· 91
060. 심천생리학에서 바라본, 강산 ···· 92

061. 심천생리학에서 바라본, 고열 ········· 93
062. 심천생리학에서 바라본, 뇌성마비 ········· 94
063. 심천생리학에서 바라본, 뇌파 장애 ········· 95
064. 심천생리학에서 바라본, 당뇨 ········· 96
065. 심천생리학에서 바라본, 독의 기능 ········· 98
066. 심천생리학에서 바라본, 뒤꿈치 굳은살 ········· 99
067. 심천생리학에서 바라본, 약산 ········· 100
068. 심천생리학에서 바라본, 약산·중산·강산 작용 ········· 101
069. 심천생리학에서 바라본, 유전? ········· 102
070. 심천생리학에서 바라본, 인체의 복원력 ········· 103

071. 심천생리학에서 바라본, 중산 ········· 104
072. 심천생리학에서 바라본, 치유 의미 ········· 105
073. 심천생리학에서 바라본, 치유 포인트 ········· 106
074. 심천생리학에서 바라본, 칼슘 혈질 ········· 108
075. 심천생리학에서 바라본, 타닌산? ········· 109
076. 심천생리학에서 바라본, 탁혈의 의미 ········· 110
077. 심천생리학에서 바라본, 혈질로 보는 암 발생률 ········· 111
078. 심천생리학의 처방원리 3가지 ········· 112
079. 안과 질환(황반변성, 녹내장) 원인과 해결방법 ········· 113
080. 안전 사혈과 질병의 타이밍 ········· 115

081. 약을 끊을 때 주의할 점 ········· 117
082. '어혈 불림' 적용 시점? ········· 118
083. 어혈 색깔과 질병 ········· 119

084. 어혈과 고질혈증 ········· 120
085. 어혈의 불림과 녹이는 기능의 차이 ········· 121
086. 어혈이 생성되는 속도? ········· 123
087. 어혈이 쌓이는 순서 ········· 124
088. 엉덩이 발달과 혈액순환 관계 ········· 125
089. 염분 농도에 대한 진화론 ········· 127
090. 염분 부족의 부작용 증상 2가지 ········· 128

091. 염증에 대한 새로운 시각 ········· 129
092. 영양부족과 피부 작용 ········· 130
093. 영양분·철분 부족의 부작용 ········· 131
094. 영양분의 독성과 약성 ········· 132
095. '요발탄인'의 처방의미 ········· 133
096. 요산의 정체와 생성 ········· 134
097. 요통이 오는 기전 ········· 135
098. 위경련 응급처치 방법 ········· 136
099. 음식과 약, 그리고 독 ········· 137
100. 응급 사혈 우선순위 판단 기준 ········· 139

101. 응급 사혈 주기 ········· 141
102. 응급 사혈: 증세에 따른 우선순위 ········· 142
103. 이해력과 암기력 UP? ········· 143
104. 인슐린의 역할 ········· 145
105. 인체내 혈액의 혈질 차이 ········· 146
106. 인체에 축적된 독 3가지 ········· 147

107. 인체 생리에 대한 관점의 전환 …… 148
108. 인체의 자연치유에 대한 시각 …… 149
109. 인체의 적응적 진화에 대한 이해 …… 150
110. 인체의 혈관은 어떻게 동작하는가? …… 151

111. 일반암 vs 백혈병 vs 혈액암 …… 152
112. 임산부 사혈 금지 이유 …… 153
113. 작은 질병 vs 큰 질병 …… 154
114. 장 속 유산균과 식중독균 …… 155
115. 정상 혈액의 개념 …… 156
116. 조혈보충에 대해 알아둘 점 …… 158
117. 죽염이 해독? …… 159
118. 중산, 강산을 쓰는 결정은? …… 160
119. 질병을 바라보는 시각 차이 …… 162
120. 질병의 회복 속도 차이? …… 163

121. 질병이 오는 기전 …… 164
122. 체세포와 노후화 현상 …… 165
123. 체지방이 발생하는 생리이치 …… 166
124. 치매 치유에 대한 시각 …… 168
125. 큰 사업가 vs 작은 사업가 …… 169
126. 통증 없다 vs 통증 심하다 …… 170
127. 통증의 접근방법과 이해 …… 171
128. 통증에 따른 압력 조절 …… 172
129. 한 단계 낮은 독으로 해독한다는 의미 …… 173

130. 항생제 끊는 시점? ········· 174

131. 항생제에 대한 의문 ········· 175
132. 해독원리? ········· 176
133. 헤모글로빈 수치와 보사의 균형 ········· 177
134. 현대인의 스트레스 ········· 178
135. 혈관 구조에 대한 비유 ········· 179
136. 혈관 구조와 어혈의 발생 ········· 180
137. 혈관 조형술의 함정 ········· 181
138. 혈관이 막히면 어떤 환경이 되는가? ········· 182
139. 혈관이 막히면 어떤 문제가 생기나? ········· 184
140. 혈액 성분에 따른 어혈의 구분 ········· 186

141. 혈액과 조혈 기능의 이해 ········· 187
142. 혈액암의 기전, 그리고 해결방법 ········· 188
143. 혈액의 산도가 높아지면 어떤 일이 일어나는가? ········· 189
144. 혈액의 색깔과 정도의 차이 ········· 191
145. 혈액의 응고 반응에 대한 이해 ········· 192
146. 혈액의 흐름과 신체 기능 ········· 193
147. 혈자리가 원 혈에서 이탈할 때 ········· 194
148. 혈전 용해제의 부작용 ········· 195
149. 혈전 용해제의 산화작용 ········· 196
150. 화학반응에 의한 간경화 ········· 197

001

가장 원만한 사회생활

자연이 아름답고 평화롭게 보이는 것은 그 이면의 수많은 먹이사슬의 생태 작용이 잘 유지되고 있기 때문이다. 우리가 사는 문명 생활이 자연과 이탈되어 서로 다른 듯하지만 자연 생태계나 인간 생태계의 이면은 크게 다르지 않다. 그러한 관점으로 이해를 하고 사물을 바라보는 시각이 필요하다.

누구나 자기가 노력한 만큼 대가를 받았을 때 모든 생명체는 공존할 수 있다. 하지만 자신이 노력한 것보다 더 많이 가지려하고 다른 사람이 노력한 결과물을 빼앗으려고 할 때, 다툼으로 갈 수밖에 없다. 그리고 내로남불의 마음을 가지는 순간 사회생활은 힘들어진다.

#원만한_사회생활 #노력 #결과물

간염의 이해

간은 몸 전체 화학 공정을 담당한다. 간은 신장과 함께 혈액 환경에 중요한 역할을 하는 중요한 장기다. 간 기능이 저하되면 혈액 산성화로 활성산소가 증가하며, 다량의 혈전이 생성되어 말초모세혈관을 막는다. 세균이나 바이러스는 우리 몸에 공생하다가 확장하기 좋은 곳에서 세력을 키워나간다. 이 과정에 염증 수치가 높아지고 병증을 일으키는 거점 역할을 한다.

이 세균이나 바이러스가 간 쪽에 가서 자리를 잡고 세력을 키우면 간염이 된다. 간에서 자리 잡은 세균이나 바이러스의 종류가 뭐냐에 따라서 달라진다. 우리 인체에 세균이나 바이러스가 침투했다고 가정했을 때, 이 녀석들은 어디 가서 숨으면 가장 좋을지 생각해 보자.

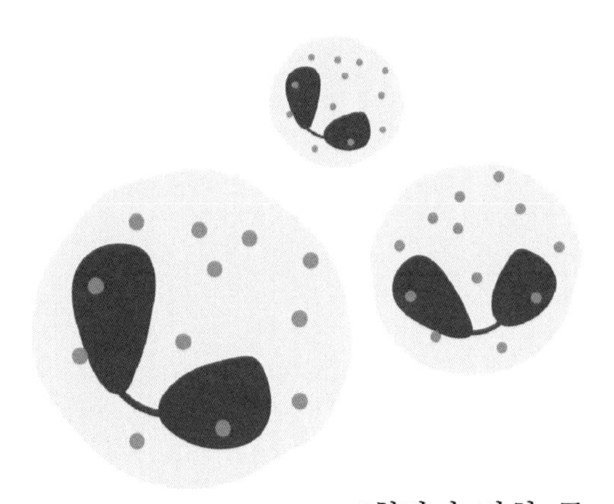

#혈관이_막힌_곳
#백혈구가_접근할_수_없는_곳
#산소포화도_낮은_곳
#염도_낮은_곳
#온도_낮은_곳

003

강산에 의해 발생하는 질병

신장과 간 기능이 떨어진 합병증으로 혈질이 강산성으로 바뀐다. 강산의 산화로 소장에서 흡수한 모든 영양분을 녹여 버린 것이 악성빈혈의 원인이다. 혈질도 강산으로 될 수밖에 없다. 이 환자는 악성빈혈만 가지고 있을까? 강산으로 일어날 수 있는 모든 질병이 다 있을 것이다. 모든 불치병의 원인 물질은 혈액의 산성 과정이 극치에 다다른 강산의 작용에 기인한다. 낮은 단계의 약산, 중산, 강산의 혈질이 악화되는 과정에 나타나는 모든 병증의 정도 차이에 따른 병명일 뿐, 모든 질병은 신장과 간기능의 저하에 의한 3차 합병증이 대부분이다.

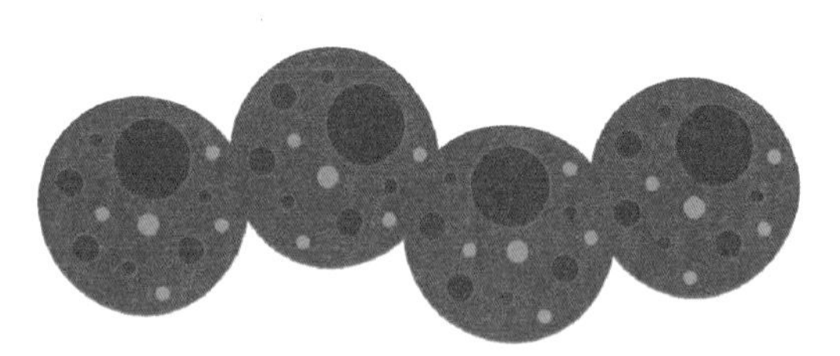

#강산 #질병 #악성빈혈

004

강산의 산화와 조혈 기능

"신장과 간기능 저하의 오랜 산폐화 과정에서 비롯된 강산의 산화 과정은 모든 영양분을 녹여 버리기 때문에 먹이사슬을 연결해도 조혈 기능이 안 된다." 이렇게 진단하니까 치유법도 있는 것이다. 해결책은 강산을 해독해주고, 피가 만들어지도록 영양분을 넣어줘야 한다. 혈액의 산성화를 그대로 두고 부족한 것을 넣어주는 것은 끝없는 반복에서 벗어나기 어렵다. 근본적으로 빈혈이 되어 조혈 작용이 되지 않은 주원인이 혈액의 산성화임을 바라보는 시각이 있어야 한다.

005

갱년기 갑상선 기능의 개선

인간이 구조적 모순 중에서 호흡기 기능에 문제가 많이 나타난다. 특히 목이 보호받지 못하고 찬 바람에 노출이 되고, 늘 고개를 숙이다 보니 긴장과 수축으로 혈액순환이 잘 이루어지지 않는 구조이다. 갑상선 기능 저하 및 항진으로 인한 호르몬의 불균형으로 나타나는 현상들은 감기혈의 소통으로 개선이 될 것이다. 4번혈(감기혈)과 18번혈(침샘혈)은 코로나와 같은 호흡기 질환의 개선에도 효과를 누릴 수 있는 혈 자리다. 갑상선 주변의 문제로 인하여 각종 호흡기 질환에 노출이 되는 부분을 두 혈자리 관리로 예방도 가능해진다.

4번혈(감기혈)
18번혈(침샘혈)

006

갱년기 뇌파 장애의 신경선 합선

중년 여성들이 겪는 갱년기 시즌에 다양한 심신 불균형이 있다. 그중에 특히 전신 무기력, 무감각 및 손발 저림은 뇌파 합선과 누수 현상이 합해진 현상들이다. 9번혈인 간질병혈과 53번혈인 목통혈은 뇌파 장애의 개선과 완화를 위해 중요한 혈 자리다. 단순히 사혈의 작용이라기보다는 뇌세포와 체세포 상호 유기적인 관계를 개선하는 것만으로도 많은 변화가 생기게 된다.

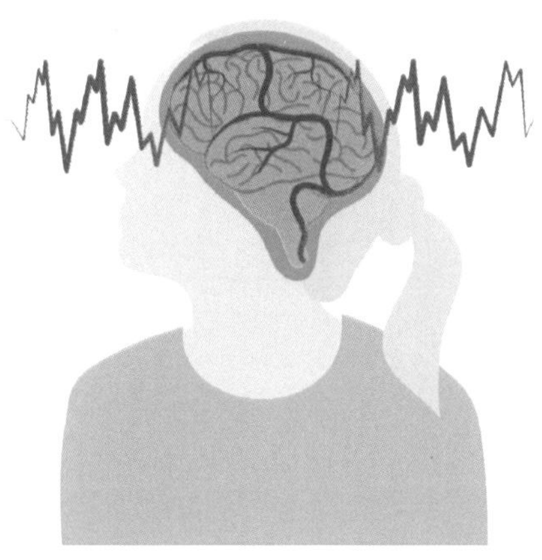

#9번혈(간질병혈)-53번혈(목통혈)

갱년기 뇌혈관 질환의 개선

불면증, 기억력 감퇴, 판단력 둔화, 멍 때림 등. 이와 같은 이상 징후도 뇌 쪽으로의 혈액순환을 원활하게 해 주면 뇌 기능의 불편한 현상들이 사라짐을 알게 된다. 사혈점은 1번혈(두통혈)-9번혈(간질병혈)-17번혈(시력혈)이다.

#갱년기_뇌혈관

008

갱년기 생리 질환의 개선

중년 즈음에 여성의 생리작용이 기능을 다 하여 얻은 훈장과 같은 각종 생리 질환은 불행하기보다는 감사함의 결과물임에 틀림이 없다. 이렇게 애쓰신 모든 여성에게 생리 질환과 관련된 여성의 생리현상과 생명현상의 유지로 본다면, 51번 혈인 생리통혈의 소통은 갱년기에 있어서 직·간접적으로 중요한 혈 자리다. 사혈점은 51번혈(생리통혈)-14번혈(치질혈)-29번혈(치질혈-항문)이다. 이 혈자리의 꾸준한 관리로 혈액순환이 원활하게 이루어진다면, 충분히 보상을 받고도 남을만한 가치가 있다.

#갱년기_생리_질환

009

갱년기 심신미약의 개선

화병, 조울증, 우울증, 불안, 초조 등과 같은 심리 상태가 불안정할 경우, 5번 혈인 협심증혈의 개선은 체세포의 안정감을 되찾게 하는데 중요한 혈 자리다. 이러한 모든 심리불안의 원인은 심장의 안정적인 펌핑의 유지에 따른 체세포의 작용임을 알아야 한다. 기능성 속옷을 탈피하고, 심장 펌핑의 앞뒤 흐름을 원활하게 해 주는 것만으로도 많은 개선의 작용이 생기게 된다.

#5번혈(협심증혈)-30번혈(급체혈)

010

갱년기 탁혈의 개선

갱년기 다양한 증세 중에서 신장기능 저하로 야기된 문제점들은 신간혈 개선으로 혈액 정화능력이 개선된다. 8번 혈인 신간혈은 체세포의 안정적인 생명 유지를 위해 중요한 혈자리다. 신장이 우리 생명 활동의 마지막 장기로써 큰 역할은 하지만 낮은 단계의 해독을 할 뿐, 그 자체 여과기능을 개선하는 방법을 알지 못하는데 사실이다. 모든 자동화 시스템에는 자체 정화시스템을 잘 관리를 해 주는 것이 중요하듯 우리 인체도 신장의 중요성을 인식하고 관리를 해야 늘 항상성을 잘 유지하게 된다.

011

고지혈증 핵심 원리

생리 이치로 바라보면, 혈액 속의 영양분이 축적된 것은 체세포가 소장에서 흡수한 영양분을 못 먹어 치운 만큼 쌓인 것이 고지혈의 핵심 원리다.

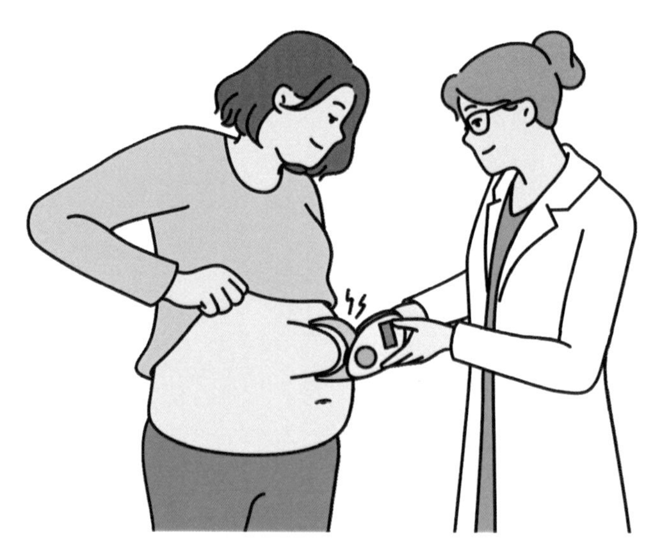

#고지혈증 #영양분_축적

- 왜 못 먹어 치웠을까? 소화 능력을 잃어서
- 소화 능력은 왜 잃었을까? 산소가 부족해서
- 산소는 왜 부족했을까? 산성도가 높아서
- 산도가 왜 높아졌을까? 신장의 여과기능 저하로

결국, 신장의 사구체 기능을 개선 시키면 고지혈증은 자연스럽게 해결될 수밖에 없다.

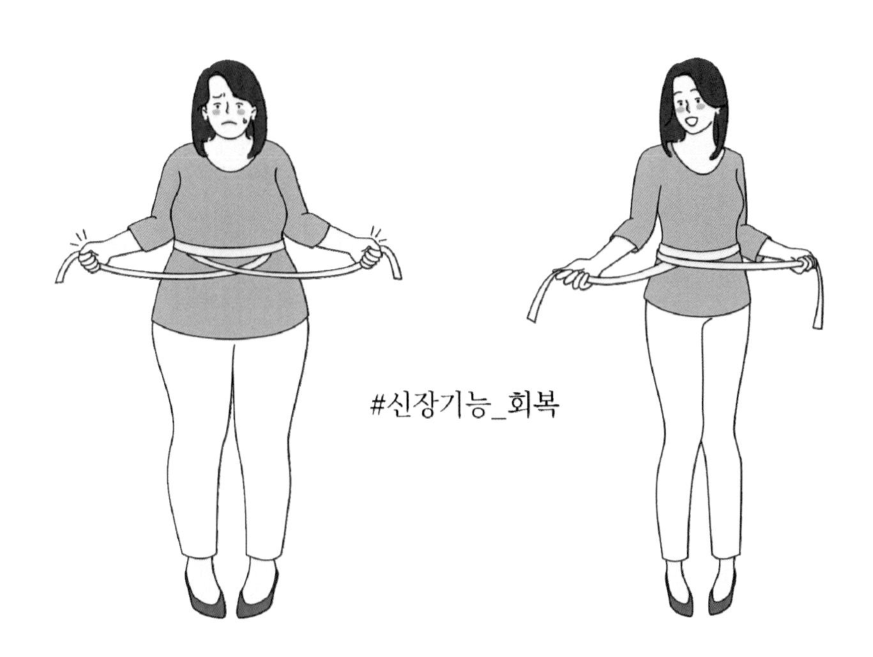

고지혈증·고혈압·당뇨병의 차이점

- 고지혈증 : 신장기능이 떨어진 합병증
- 고혈압 : 신장과 간 기능이 떨어진 합병증
- 당뇨병 : 신장, 간, 췌장 기능이 떨어진 합병증

013

고지혈증과 두통 원인의 이해

신장기능이 떨어지면 혈액 속 산성도는 높아진다. 산성도가 높아진 만큼 혈중 산소 포화도가 떨어진다. 산소 부족은 불완전 연소로 체세포는 소장에 흡수된 영양분을 처리하지 못하게 된다. 분해와 합성을 하지 못한 영양분이 혈액 속에 축적된 것이 고지혈증으로 신장의 이뇨작용을 활성화해야 해결된다.

두통도 마찬가지로 뇌 속의 산소 부족이 원인이다. 산소 부족이 심할수록 강한 두통이 오고, 산소 부족이 약할수록 약한 두통이 온다. 뇌 혈관 막힘으로 인한 혈류량 감소 또한 산소 부족에 큰 영향을 준다.

014

고혈압의 진단시각 차이

기존 의학은 이뇨작용, 신경 안정, 혈액순환개선제, 혈관 확장 등으로 심장박동을 늦추기 때문에 지속해서 약을 먹어야 정상혈압이 유지된다. 근본치유라기보다는 혈압을 관리 하는 역할로 이해하면 된다.

#고혈압 #정상혈압 #고혈압_진단시각

심천생리학은 혈액 속의 산소 포화도가 혈압을 결정한다고 본다. 즉 산성도가 높으면 혈중 산소 용존량이 부족하여 심장박동은 빨라지고 혈압도 높아지기 때문에 산성을 해독해줌으로써 혈압을 잡는다. 해독 작용으로 이뇨작용이 활성화되면 혈중 산소포화도가 높아져 심박수가 조절된다. 강산해독은 임시 개선이므로 근본치유는 6번혈(고혈압혈)과 8번혈(신간혈)을 사혈 해야 한다.

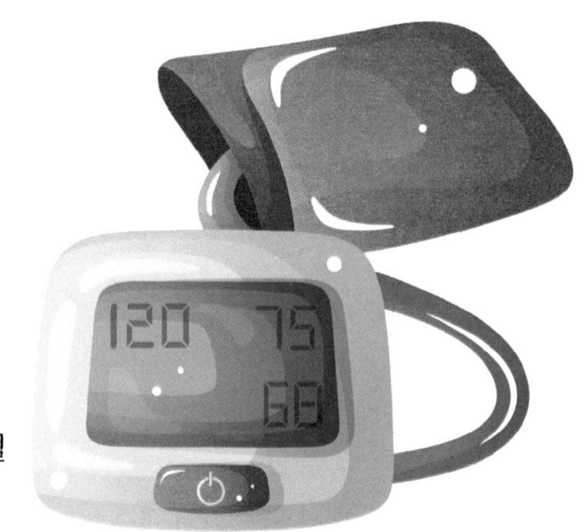

#산소_함유량
#강산해독
#고혈압혈 #신간혈

015

기본사혈 핵심기능 5가지

첫째, 질병 근원을 바로 잡는다
둘째, 조혈 근본을 만들어 간다
셋째, 오장육부 기능 개선을 유지한다
넷째, 먹이사슬 핵심 바탕을 유지한다
다섯째, 모든 생명 활동 기본을 바로잡는다

016

기존 치료법의 이치

- 기치료 : 몸에 흐르는 전류를 방전된 배터리에 충전하듯, 기가 강한 사람이 약한 사람에게 일시적으로 기를 보충해 준다.
- 수지침 : 신경선에 흐르는 전류를 합선 역류시켜 전류의 파장으로 장기에 자극을 준다.
- 한증치료 : 몸 온도를 상승시켜 어혈 농도를 묽게 하고 혈관을 확장해 피흐름을 원활하게 한다.

- 쑥뜸 : 화기의 자극으로 몸에 흩어진 백혈구를 모이게 하고, 화독에 의해 병원균을 살충하며 어혈을 묽게 하여 피를 잘 돌게 한다.
- 침술 : 경혈의 자극이 체온을 상승시켜 피를 잘 돌게 한다.
- 물리치료 : 근육을 이완시켜 피를 잘 돌게 한다.
- 온열치료 : 체온을 상승케 하여 혈관을 확장시켜, 어혈을 묽게 하여 피를 잘 돌게 한다.

- 운동요법 : 근육을 이완시켜 피를 잘 돌게 한다.
- 한약처방 : 부족한 영양분을 보충해 주고, 침입 균을 무력하게 하며, 어혈을 녹여 피를 잘 돌게 한다.

아홉 가지 치료 효능 원리의 공통점은 '피를 잘 돌게 한다'는 점이다. 바꿔 말해서 피를 잘 돌게 해 주는 방법은 모든 치료에 꼭 필요하다는 사실이다.

017

내 운명 결정은 누가 할까?

'마음의 안경은 항상 내 기준이다'. 내가 나를 평가할 때는 너그럽게 판단하고, 내가 상대를 평가할 때는 옳고 그름을 따져서 엄격하게 판단한다. 내 운명은 상대가 나를 어떻게 보느냐에 따라 결정된다. 내 마음의 바탕을 어떻게 형성하느냐가 중요하다.

뇌출혈과 뇌경색 구분하는 법

- 뇌출혈 : 머리에 손을 댔을 때 특정 부위만 온도가 높다.
- 뇌경색 : 만졌을 때 싸늘하고, 머리 전체에 열나기도 한다.
- 증상 : 갑작스러운 두통, 어지러움, 언어장애, 편마비 등

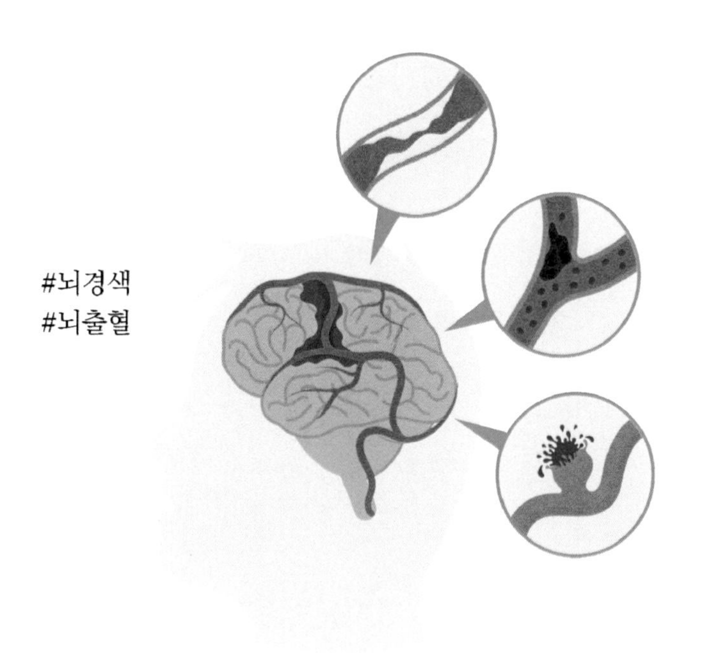

019

단순 고혈압, 본태성 고혈압

고혈압은 신장기능 저하로 혈중 산소포화도 낮아져 산소 부족 상태가 된다. 높아진 산성은 혈액 속의 지방·단백질을 응고시켜 말초 모세혈관을 막는다. 혈액은 모세혈관이 막혀서 나가지 못하고 산소 부족으로 심박수를 높인다. 이것이 고혈압이 생성되는 과정이므로 신장과 간 기능을 회복시켜야 한다.

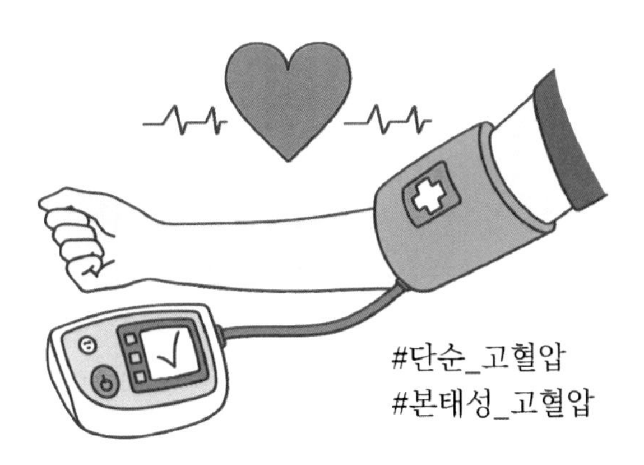

• 단순 고혈압

2번혈(위장혈)-3번혈(뿌리혈)-6번혈(고혈압혈)을 사혈한다. 3번혈인 뿌리혈은 신체의 전면부에서 하체로 내려가는 혈류를 관장한다. 6번혈인 고혈압혈은 후면부에서 하체로 내려가는 혈류를 관장한다. 3번혈과 6번혈은 인체 상층부의 압력을 낮춘다.

• 본태성 고혈압

2번혈(위장혈)-3번혈(뿌리혈)-6번혈(고혈압혈)-8번혈(신간혈)을 사혈하여 혈중 산소포화도가 높아지고 헤모글로빈 수치가 정상으로 돌아오면 혈압이 떨어진다. 헤모글로빈 수치가 떨어지면 산소 부족으로 심장이 빨리 뛰기 때문에 피의 압력으로 혈압이 높아지기 때문이다.

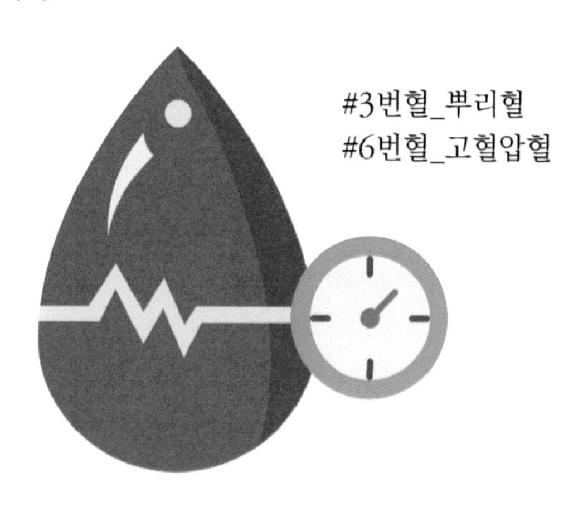

020

단순 어혈 개념과 접근방법

단순 어혈은 신장기능 저하로 탁해진 신진대사의 결과물인 요산의 화학반응으로 생성된다. 요산해독제를 적용하면 피부족의 영향도 적게 나타난다. 단순 어혈은 비교적 잘 나오는 편이다.

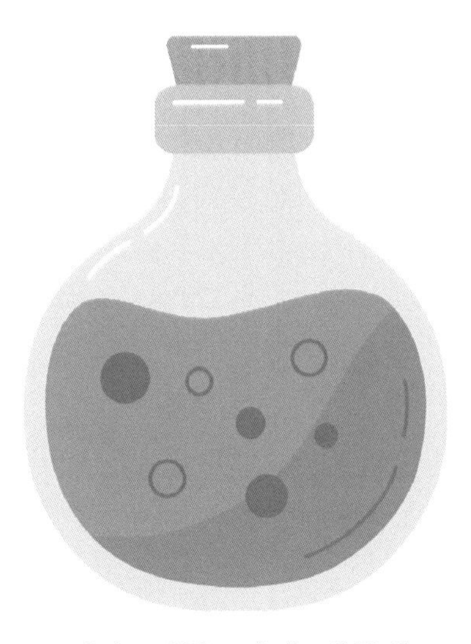

#단순_어혈 #약산_해독제

021

담석 물질 어혈 개념과 접근방법

담석 물질 어혈은 강산이 혈액 속 지방·단백질을 산화 과정으로 녹이고, 철분·석회질·칼슘·콜라겐 성분 등은 강산의 화학반응으로 응고시킨 물질이다. 혈질 자체가 강 산성화되어서 사혈 할 때 심한 통증, 멍, 수포가 발생한다. 강산 해독과 어혈을 녹이고 불리는 처방을 함께 적용해야 효율적인 사혈이 된다.

#담석물질어혈
#강산해독
#전문지식필요

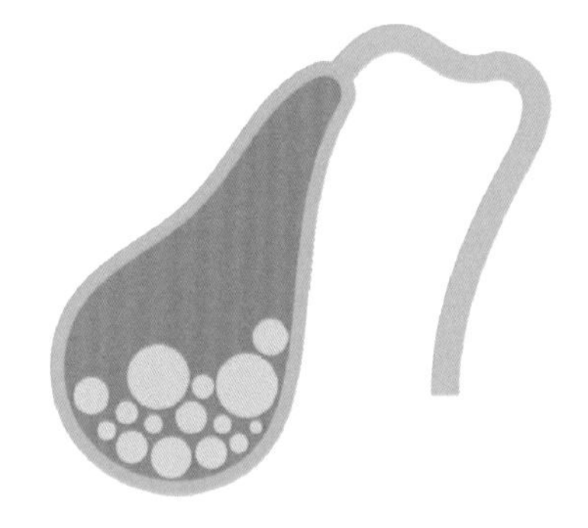

대인기피증

대중 앞에서 불안하고 초조하며, 마음의 안정을 찾기 어려운 심리적 문제의 사혈점은 5번혈(협심증혈)과 30번혈(급체혈)이다. 혈액을 관장하는 유기적 관계인 심장의 과부하가 심리적 불안과 초조함을 유발한다.

#겁난다 #불안하다 #두렵다 #대인기피증

독의 생성이론

신장기능 저하로 혈중 산성도가 높아진 상태에서 고단백 영양분을 먹고 소화하는 가운데 형성된 불완전연소물질(질소가스류)인 기체가 액화하여 혈중 요산 수치가 높아진 것이 독(강산)이다.

#독_생성이론 #질소가스
#불완전연소물질

024

마음의 이치

나에 대해 상대방이 하는 모든 행동은 상대방이 하는 것 같지만, 사실은 모두 내가 한 것이다. 내가 미운 행동을 하면, 상대방도 나를 미워할 테고 내가 예쁜 행동을 하면, 상대방도 나에게 예쁘게 행동할 것이기 때문이다. 상대가 이유 없이 나를 미워하는 일은 이 지구상에 없다. 상대는 내 마음의 거울과 같다.

#마음의_이치

025

말기 암 환자의 심한 통증

말기 암 환자의 심한 통증은 강산이 체세포의 표피를 녹여 통증이 뇌에 전달된 것이다. 통풍성 통증도 마찬가지다. 통증의 해결책은 강산해독이 1순위다. 그다음 사혈을 할 때, 온열 찜질기나 마사지로 근육을 이완시켜 주면 통증이 완화된다. 사침할 때, 손으로 꽉 잡아주면 일시적 산소결핍으로 순간적인 무통 효능이 있다. 8번혈인 신간혈을 사혈하여 산성도를 낮춰주면 사침 통증이 줄어든다.

#말기_암_환자_통증 #체세포_과민반응

026

말초모세혈관과 중병

말초모세혈관은 50%가 막혀도 아무런 이상 없다. 중병이 왔다면 70~80% 말초모세혈관이 막혔다는 의미다. 많은 양의 모세혈관을 막으려면 많은 양의 어혈이 있어야 한다. 많은 어혈은 산성도가 높지 않고는 만들어지지 않는다. 산성이 혈액 속 지방·단백질을 응고시켜 다량의 어혈을 만든다. 중병은 어느 혈관이 얼마만큼 막혔느냐에 따라 체세포는 병적 상태 신호를 보낸다.

맛과 약리 기능의 구분

- 아린 맛 : 마취 효과(신경 안정)
- 비린 맛 : 요산 해독
- 신맛·떫은맛 : 중산 해독
- 유지방 : 어혈 불림기능
- 단맛·고소한 맛 : 소화 기능 회복

#맛_약리기능

028

'먹이사슬 연결고리'와 '마지막 장기'

미생물이 소장에서 영양분을 흡수하면 어떻게 될까? 인체의 생명체들은 자신이 필요한 영양분을 골라 먹는데, 먹은 영양분은 소화 과정에서 성분이 바뀌고 앞 장기의 배설물이 다음 장기의 먹이가 된다. 이것을 '먹이사슬 연결고리'라고 한다.

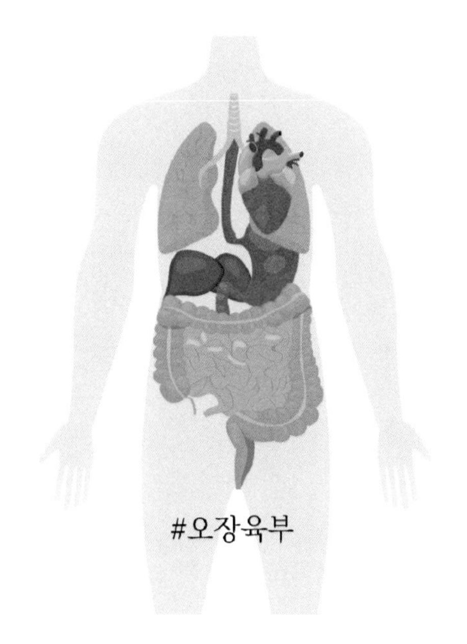

모든 자동화 시스템은 그 작동 원리가 비슷하다. 에너지원이 있어야 하고, 에너지 작용 과정에 부득불 불완전 연소 물질들이 생성된다. 불완전 연소물질을 필터링하거나 체외로 배출해주지 않으면 노폐물이 축적되어 시스템에 문제가 발생한다. 우리 인체도 마찬가지다. 오장육부가 항상 잘 돌아가는 듯하지만, 그 과정에 문제가 생기면 인체 생리 시스템에 부하가 걸린다. 여기서 신장이 중요한 역할을 한다. 신장은 환경 정화기능을 담당하는 장기로 인체 시스템이 잘 돌아가도록 한다.

#먹이사슬_연결고리

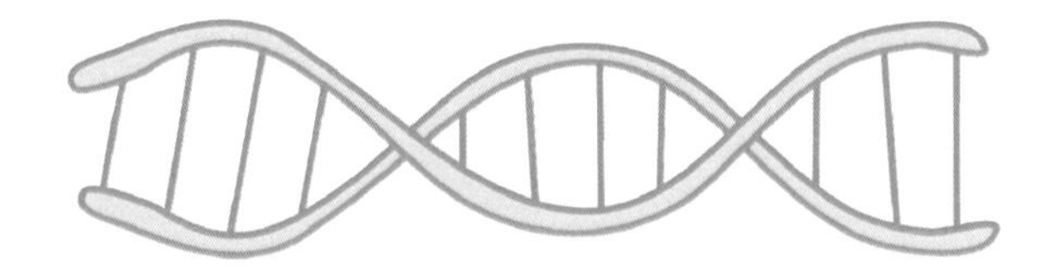

우리가 먹은 음식은 소화되어 장 속 미생물이 흡수한다. 흡수한 성분은 간에서 화학작용을 거쳐 다양한 성분으로 인체에 제공한다. 이러한 성분들이 혈관을 타고 최종적으로 모세혈관에 이르면 체세포에게 필요한 영양분과 산소를 공급한다.

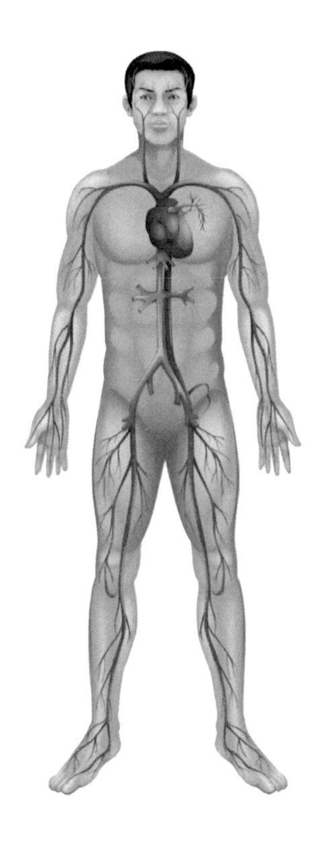

#혈관
#모세혈관
#체세포
#산소_공급

세포들이 사용하고 남은 노폐물들은 다시 폐 호흡과 대소변으로 내보내는 순환 구조로 작용한다. 이때 소변을 걸러내는 마지막 필터 작용을 신장이 담당한다. 신장은 대사 과정에서 형성된 요산·요소의 노폐물을 사구체 세포들이 걸러내어 방광에 고였다가 소변으로 배출된다. 혈액 오염을 방지하는 마지막 장기인 신장은 생명과 항상성을 유지하는데 중요한 장기다.

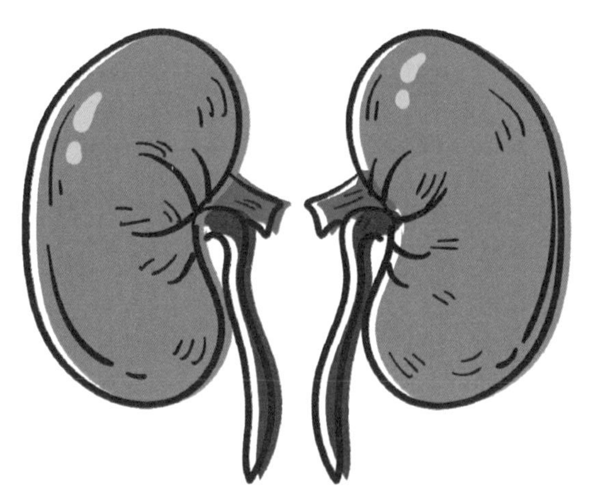

#사구체_세포 #혈액_오염_방지 #항상성_유지

029

면역기능 강화를 위한 효과적인 방법

신장과 간 기능을 회복시켜서 피를 맑게 한 후 혈액 속의 산소 용존량과 염분을 높여주는 것이 면역기능을 강화하는 방법이다. 인위적으로 해줄 수 있는 것은 죽염을 활용하는 것이다. 즉 면역력은 산소, 염분, 영양, 체온의 항상성을 유지해 주는 것이다.

#면역기능_강화
#산소_용존량
#죽염

030

면역기능과 감기의 관계

감기몸살이 빈번하게 온다는 것은 자가 면역력이 저하된 사람이다. 이럴 경우 8번혈(신간혈)-4번혈(감기혈)-18번혈(침샘혈)을 사혈 하면 어떨까? 어혈만 제대로 나와 준다면 감기에 걸릴 확률은 낮아진다. 세균과 바이러스는 산소, 영양, 염분이 부족하고 열악한 곳에서 세력 확장을 해온 공생 관계라서 그렇다. 백혈구는 세균과 반대되는 환경에서 최상의 군대 역할을 수행한다.

031

몰아 빼기 사혈에 꼭 필요한 준비사항

몰아 빼기는 4대강 사업에 비유해서 질병의 근원을 해결하는 과정이다. 많은 시간, 비용, 노력이 수반되는 근본치유 기법이다. 적어도 1~2년 농사를 짓기 위해 준비하고 배우고 익혀야 한다. 몰아빼기 사혈은 일반 사혈이 아니므로 선험자의 조언을 따른다. 아래 3가지는 꼭 준비해 놓고 해야 피 부족을 피할 수 있다.

첫째, 강산 해독제
둘째, 어혈을 불리는 처방
셋째, 영·염·철(영양분, 염분, 철분)

몸과 마음의 건강

몸 건강은 몸속에 쌓인 어혈을 빼내면 되고, 마음 건강은 마음속에 쌓인 이기심을 빼면 된다. 어혈과 이기심을 제거하는 것이 몸도 마음도 건강한 삶을 위한 지름길이다. 몸은 신간혈 사혈로 개선하고, 마음 건강은 지혜의 깨우침으로 만들어 간다.

#몸건강 #마음건강 #어혈제거 #이기심

몸의 자동화 시스템

우리 몸을 구성하고 있는 세포 하나하나는 각자의 역할을 해내고 있다. 세포는 먹이사슬과 공생공존의 이치를 알고 있다. 먹을 만큼만 먹고 내보낸다. 자연이 그러하듯 우리 몸도 자율조절 기능이 있다. 자연에서 이탈된 인간 문명이 본래 기능을 퇴화시키고, 인체 내부 생태계가 교란되고 자연과의 공생적 관계인 먹이사슬이 끊어지면서 우리 건강도 무너지기 시작했다.

#몸의_자동화시스템

무호흡증

무호흡증은 복막이 멈췄다는 것으로 뇌파 장애다. 복막 쪽 혈관이 막혀 뇌파 전달이 제대로 되지 않을 때 발생한다. 심장마비로 돌연사 위험이 있다. 치유 혈점은 1번혈(두통혈)-9번혈(간질병혈)이다. 결과치유혈점은 5번혈(협심증혈)-30번혈(급체혈)-53번혈(목통혈)이다. 코골이를 동반할 경우 8-4-18번혈이다.

#무호흡증 #뇌파_장애 #복막쪽_혈관

035

물혹의 생성 과정

물혹이 만들어지는 단계는 다음과 같다.

- 1단계, 흐르는 피의 산성도가 높은 상태
- 2단계, 1단계에서 특정 모세혈관 부위가 막힌 상태
- 3단계, 2단계가 되면 부분적으로 산성도가 더 높아지게 됨

#변이물질_생성과정

3단계까지 오게 되면 생명의 위협을 인식한 체세포들은 산성화된 혈액을 묽게 희석하기 위해 수분을 끌어모은다. 수분이 혹 내부에 찬 것이 물혹이다. 물혹의 크기는 혈액 산성도에 비례한다. 산성화된 혈액 환경과 약화 된 조직 세포의 과민도에 따라 다발성 낭종이 발생하기도 한다.

036

복수에 대한 이해

인체에 높아진 산(酸)이 혈액 속 지방·단백질을 응고시키고 혈관을 막는다. 체세포는 산성을 희석하기 위해 주변의 수분을 끌어모은다. 임계치를 넘어서 더 이상 수분으로 산도 조절이 어려워졌을 때, 체세포의 생리작용으로 막바지에 복수가 차게 된다. 무릎에 물이 찼을 때 주사기로 빼주는 것과 관절염혈 사혈로 체세포 스스로 물이 빠지게 하는 원리와 작용을 이해해야 한다.

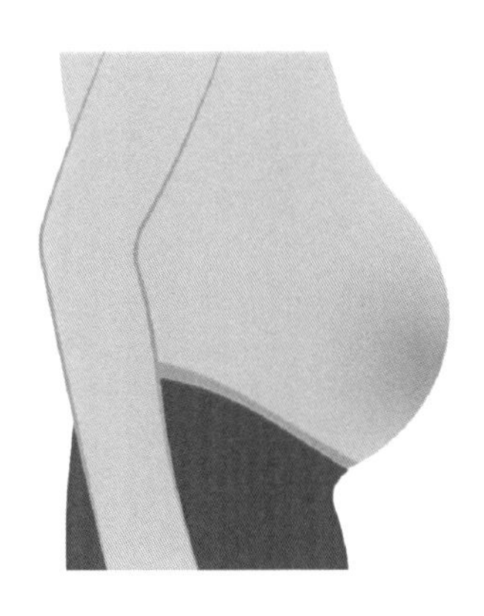

#복수_생성원리
#체세포_깨우침

- 혈액 전체에 산도가 높으면 몸 전체가 붓는데, 이것은 신장과 간 기능이 떨어진 결과다.
- 말초 끝단에 부분적으로 산도가 높으면 해당 부위에 물(혹)이 차는데, 이것은 다른 곳보다 상대적으로 많이 막히고, 고립된 지 오래되었음을 의미한다.

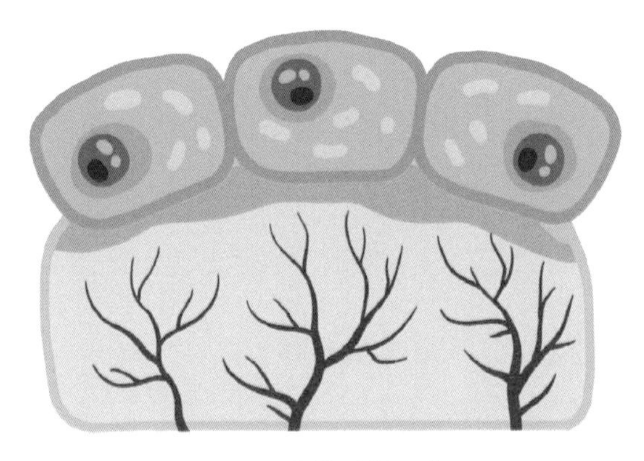

#몸_전체_붓는다
#부분적으로_물이_찬다

037

부모와 자식 관계

밭에 콩이 심어졌다면, 콩이 여물 때까지만 부모의 권한이고 책임이다. 그 콩이 여문 후에는 두부가 되든, 청국장이 되든 부모의 권한 밖의 일이다. 부모는 자녀의 거울이기에 잘 살아주는 것만으로도 부모의 도리는 다했다고 본다.

#부모 #자식
#부모자식관계

038

불치병 특징

불치병에 걸린 사람은 어혈 양은 많고 생혈 양은 적다. 산도까지 높아지면, 영양분을 산화작용으로 녹여 버리기 때문에 조혈 기능이 완전히 망가져 버린다. 불치병을 치유하기 위해서는 강산 해독이 선행되어야 조혈의 한계를 극복하고 지속 가능한 사혈을 할 수 있게 된다.

#불치병_특징 #어혈양 #산화작용 #조혈_기능

039

사람 운명의 출발점?

아이들이 건강할 때는 아무리 앉혀 놓으려 해도 돌아다닌다. 애들이 아프면 나가 놀라고 해도 누워 꼼짝을 안 한다. 혈액순환이 활동성을 좌우한다는 의미로 게으름의 출발점은 신장기능의 저하다. 무기력, 게으름, 우유부단이 천성이나 부모의 영향이기보다는 신장기능 저하로 야기된 3차 합병증임을 알면 치유도 쉬워지고 운명도 바꿀 수 있는 논리가 형성된다.

악의 출발? 게으름
게으름 출발? 신장기능 저하

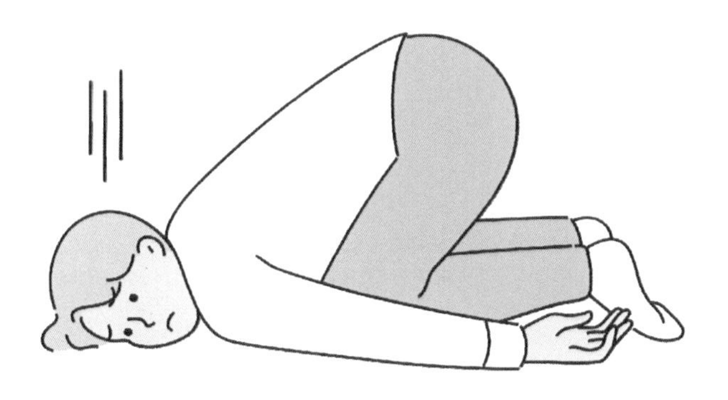

040

사혈 중, 염분보충의 목적은?

사혈로 혈액이 묽어지면 영양, 염분, 철분이 부족해진다. 이때 염분 부족이 오면, 몸살과 한기가 들고 허열이 발생을 한다. 이를 해소하기 위해서 염분보충은 필수다.

#면역기능_강화
#해독기능
#이뇨기능_활성화

041

사혈 후, 복원 시점은?

질병의 정도와 비례하는 어혈을 제거 후 일정 기간이 지나 헤모글로빈이 정상 수치가 되었을 때 우리 몸도 서서히 복원된다. 사혈로 혈액 농도가 부족한 상태로 혈관만 열린다고 체세포가 바로 재생 분열을 하는 것이 아니다. 그 부족분을 채우고 넣어 주어 좋은 환경이 되어야 체세포가 분열을 시작하게 된다.

#복원
#복원_시점
#헤모글로빈

사혈로 생긴 수포

- 소독 후 수포에 침을 찔러 탈지면으로 지그시 누른다
- 상처가 빨리 아물도록 거즈를 가볍게 붙여놓는다
- 상처가 당기거나 염증이 생기지 않도록 바셀린을 바른다

#사혈후_수포 #바셀린 #탈지면

043

사혈한 자리가 단단할 때

피부 표면이 외형적으로 변형이 있다는 것은 이미 내부적으로 혈관이 막기거나 노화했다는 간접증거다. 체세포는 퇴화했을 가능성이 크다. 이런 상태에서 부항캡을 강하게 당기면 부항캡 테두리가 피부를 차단하게 되고, 질긴 어혈이 피하층에 착색되어 혈 자리는 검푸르게 변하고 단단해진다.

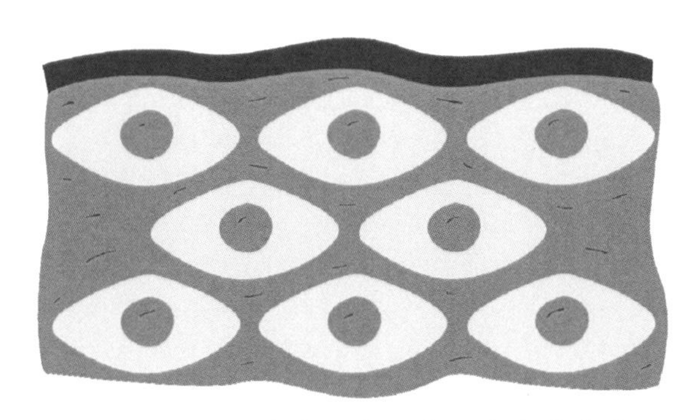

#피부가_두껍다 #피부가_ 경직되었다

이럴 때 사혈하는 방법은 아래와 같다.

- 사침은 넉넉하게 하고 부항캡의 압력을 약하게 당긴다
- 사혈 전에 온열기와 마사지로 이완시켜 준다
- 부항캡을 손으로 핸들링하듯이 이완시켜 준다
- 해독과 어혈 녹이는 약성을 이용하여 제거한다

044

사회생활 잘 하는 법

사회생활을 잘 하는 사람의 특징은 상대를 배려하는 마음을 많이 가지고 있다. 누구나 나에게 잘 해주면 좋다. 이건 상식이다. 상대에게 이득을 주면 된다. 이 원리는 가까운 시야로 보면 나에게 손해인 것 같지만 먼 시야로 보면 이익이 된다. 자리이타(自利利他)의 마음 바탕이 큰 사람이 조직의 지도자가 된다.

045

산도가 높아지면 발생하는 현상

혈액 속에는 여러 성분이 있다. 이 성분들이 산도가 낮은 곳에서는 별문제가 없지만, 산도가 높은 곳을 지날 때 화학반응을 일으킨다. 두부를 만드는 과정 중 콩물(두유)을 끓일 때 간수를 넣으면 응고되는 것이 화학반응이다. 콩의 주성분이 지방·단백질이고 간수가 산(酸)이다. 혈액이 산성화되어 응고되는 것도 같은 원리이다.

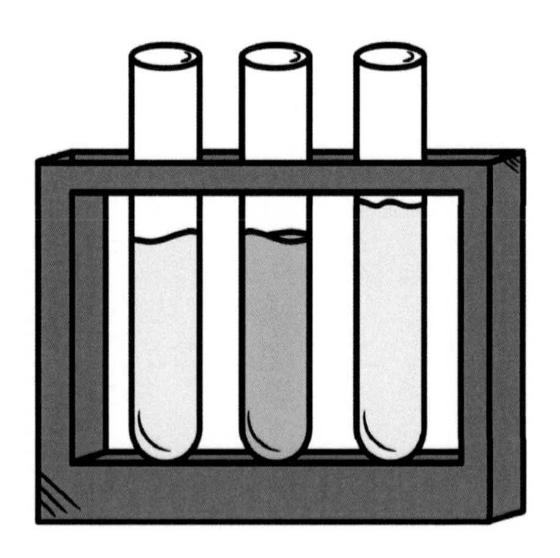

046

생명의 이치 공식

수학도 공식에 대입하여 옳고 그름을 증명하듯이 인체의 질병도 '생명의 이치'라는 공식이 있다. 단, 사물을 보는 기준점이 확립되지 않으면 진단하는 시각이 올바르게 나오지 않는다. 진단시각이 곧 치유시각이기 때문이다. 만병의 근원이 신장기능 저하로부터 비롯됨을 알면, 매일 생성되는 독소를 해독하고, 피를 맑게 유지하는 것이 건강과 생명 유지의 핵심이 된다.

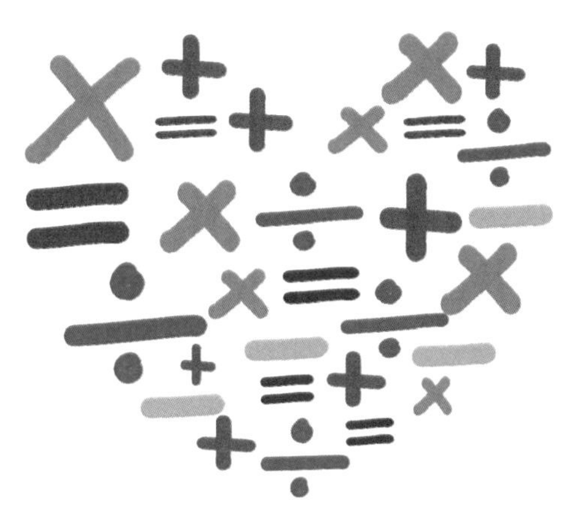

#진단시각 #치유시각

047

생명의 이치 시각

심천생리학은 인체를 생명의 이치 시각으로 푸는 학문이다. 첫째, 인체는 먹이사슬 연결고리다. 신장과 간은 먹이사슬 마지막 장기다. 둘째, 인체의 체세포는 독자적 생명체이자 서로 공생 관계에 있고 전체 설계도면을 갖고 있다. 지구상의 모든 생명체는 존재함 자체가 자신의 환경에서 살아남는 법을 깨우쳤다는 증거다. 셋째, 적응적 진화는 대상에 대한 진화다.

#생명의_이치_시각
#먹이사슬_연결고리
#독자적_생명체
#적응적_진화

048

생명체 진화와 환경 요인

- 염분 농도가 높고 낮은 데서 진화한 생명체
- 온도가 높고 낮은 데서 진화한 생명체
- 질소가스 함유량이 많고 적은 데서 진화한 생명체
- 산소 밀도가 높고 낮은 데서 진화한 생명체
- 밝고 어두운 데서 진화한 생명체
- 수심이 깊고 낮은 데서 진화한 생명체

#생명체_진화 #진화한_환경_요인

049

설사 원리와 해결방법

설사의 기전은 우리 몸속 환경에 영향을 받게 되어 있다. 배속 온도가 낮고 미생물 개체 수가 적은 상태에서 식중독균이 지방·단백질을 먹고 강산을 배설하면 장 세포들이 안 먹으려고 빨리 통과시킨 것이 게 설사다.

#설사_원리 #식중독균 #강산

설사를 멎게 하는 방법은 강산해독과 항생제 사용이 있다. 해독은 일시적 멈춤이고, 항생제는 식중독균과 유산균을 동시에 죽이는 문제가 발생한다. 둘 다 살리는 조건은 모세혈관이 열리고 온도가 높아지면 유산균 증식을 하는 환경이 되어 설사는 멈추고 편안한 상태가 된다.

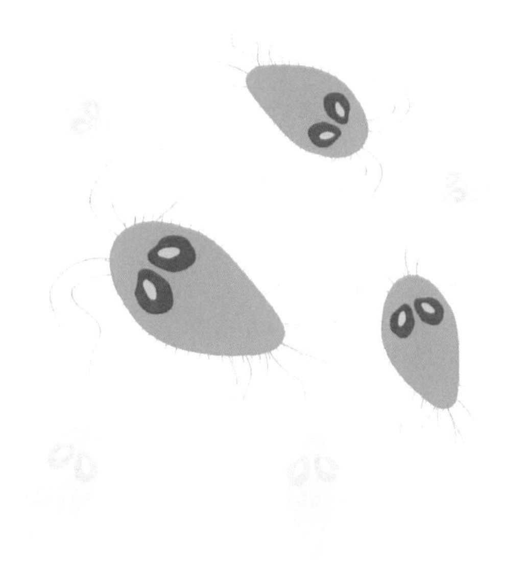

#강산해독 #모세혈관 #유산균_증식

섬유질화 된 어혈의 개념과 접근방법

섬유질화된 어혈은 혈액 속의 지방, 단백질, 철분, 칼슘, 석회질 등이 혼합되어 응고된 어혈이다. 섬유질화된 어혈은 중산 해독과 어혈 분해 식품으로도 어혈이 잘 나오지 않기 때문에 어혈을 제거하는 데 인내심이 필요하다. 어혈을 불리고 녹이는 개념의 이해가 필요하다.

#섬유질환된_어혈

051

섬유질화 된 어혈을 사혈할 때

어혈이 잘 안 나오면 사혈 하는 사람도, 사혈 받는 사람도 효과가 나지 않기 때문에 지친다. 이때는 어혈을 불리고 녹이는 처방을 사용한 후 사혈 하는 것이 현명하다. 지방의 섬유질화는 비정상 화학반응에 의한 조직이 변형된 상태이기에 일반 사혈로는 반응이 없어서 해독 병행은 매우 중요하다.

#섬유질환된_어혈 #어혈_불리는_처방

052

성공의 기본적인 조건

자신이 하는 일이 상대에게 공감을 얻는 것이 성공의 기본 조건이다. 공감은 상대에게 실질적인 이득을 주고, 상대로부터 인정을 받은 만큼 자신이 대가를 얻으면 성공할 수밖에 없다. 자신만 이득을 보려는 마음이 강할수록 상대에게서 멀어지는 것은 세상의 흐름 이치이다. 나를 기준으로 하기보다는 상대에게 맞추는 연습이 성공의 기본 공식이다.

#성공 #공감 #성공_기본_조건

053

세균과 장 내 환경

식중독균이 진화한 환경의 온도와 유산균이 진화한 장 속의 온도는 다르다. 장 속의 온도가 더 높다. 유산균은 36.5도와 0.9% 염분 농도의 환경에서 진화했다. 같은 음식을 먹고도 세균의 종류마다 배설물이 다른 이유다. 3번혈(뿌리혈)을 사혈해서 온도를 높여주면 장 속의 유산균은 왕성한 활동을 하게 되고, 외부에서 들어온 세균은 무기력해진다. 장 속 쾌적한 환경의 기본은 적정한 온도 유지가 핵심이다.

#세균_배설물
#유산균_환경

054

세포분열과 암의 발생 원리

암은 비정상적으로 세포분열을 빨리한 것으로 체세포가 생명의 위협을 받게 되면 죽기 전에 2세를 많이 남기려는 종족 번식의 본능적 행위이다. 암은 혈액의 강 산성화되어 체세포를 녹이려고 하는 산화작용에서 발생한다. 산화작용으로 비정상적인 분열을 빨리하는 것이 암이다.

055

세포분열과 인체의 복원능력

우리 인체는 환경만 만들어 주면 복원능력이 탁월하다. 환경? 혈액을 맑게 해독해주고, 혈관을 열어주고, 영양과 산소공급을 제대로 해주면 세포가 스스로 알아서 재생·복원한다.

#세포분열 #인체_복원능력

056

식성으로 판단하는 장기회복

- 비린 맛 기피 : 신장기능 저하(약산 혈질), 생선과 같은 비린 맛이 좋아지면 신장기능이 좋아졌다는 신호
- 신맛 기피 : 간기능 저하(중산 혈질), 신김치와 같은 신맛이 좋아지면 신장과 간기능이 좋아졌다는 신호

#식성 #장기_회복 #비린맛 #신맛

057

신장과 간 기능 저하 단계별 질병

신장과 간 기능 저하에 따라 발생 되는 질병은 아래와 같다.

- 30%↓ : 만성피로, 고지혈, 비만
- 40%↓ : 많은 양의 어혈 생성, 물혹, 간염
- 50%↓ : 지방종, 지방간, 아토피, 알레르기, 고혈압
- 60%↓ : 섬유종, 간경화, 악성빈혈, 담석
- 70%↓ : 신부전증, 악성빈혈, 백혈병, 암 등으로 악화

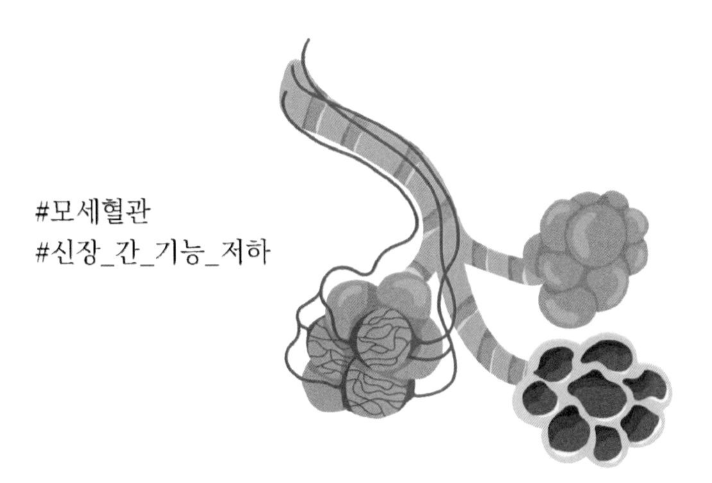

각 증세는 말초모세혈관의 막힌 정도에 따라 혈액의 유속이 느려진 곳에서부터 높아진 산성화에 의해서 발생한다.

058

신장기능이 떨어진 원인

신장기능 저하는 뇌파 누수에서 비롯된다는 생리적 이치의 기전을 이해해야 한다. 루게릭이나 뇌출혈 환자들이 신경망의 문제로 체세포 간의 전류 신호체계에 문제가 생기면 세포는 정상일지라도 감각, 신호, 통증 등에 반응이 없다. 물리치료나 운동 등으로 개선하려고 노력하지만, 결과는 아주 미미하다. 우리 몸의 뇌세포에 문제가 생기면 생리 불균형과 체세포의 재생에 문제가 된다는 시각을 가져야 한다.

심천생리학에서는 뇌세포 기능에 문제가 생겨도 뇌혈관으로 혈액이 잘 흐르면 뇌세포는 언제든지 정상적으로 재 세팅된다는 시각을 가지고 있다. 만병의 근원은 신장기능의 저하로 시작되고, 모든 질병의 원인은 신장기능이 떨어진 3차 합병증이라고 보고 있다. 그러면 여기서 신장기능이 저하된 근본적 원인에 대한 사고 전환과 생태적 시각이 있어야 한다.

인간은 진화론적으로 직립보행하면서 형성되어온 구조적 모순을 안고 있다. 동물의 형태를 보면 오장육부의 장기 시스템이 비슷하다. 네발 동물의 경우 배와 척추가 완만한 형태로 긴장도가 거의 없다. 네발 동물들은 소화 장애나 순환장애, 출산 장애가 거의 없는 안정된 구조다. 인간만이 두 발로 일어서는 진화 과정에 중심을 잡고 걷는 형태로 일어서다 보니 도구를 이용하여 하체에 힘을 주고 배와 허리에 힘을 쓰는 구조로 패턴이 바뀌어왔다. 이차적인 진화에 의한 생활 속에서 앉고, 일어서고, 허리를 숙이고, 등을 펴고, 물건을 들 때 아랫배에 힘을 줌과 동시에 등허리에 힘을 줄 수밖에 없다. 이런 과정에 특히 신간혈 자리에 동물들에게는 없는 가로 근육 인대가 형성되었다.

#인간의_진화
#생활_패턴

서론을 길게 설명한 이유는 이렇다. 우리 몸의 마지막 장기인 콩팥이 신진대사 과정에서 형성된 독소와 노폐물을 해독하고 여과하여 체외로 배출해야 한다. 인체의 마지막 장기인 신장기능이 비활성화된 원인은 신간혈 쪽 가로 인대에 반복적으로 힘을 사용함으로써 발생한다. 뇌에서 전달해 주는 전류 신호의 약화로 신장의 사구체 세포가 노폐물을 여과하는 기능이 비활성화되어 가는 것이 신장기능 저하의 주된 원인이라는 시각이다.

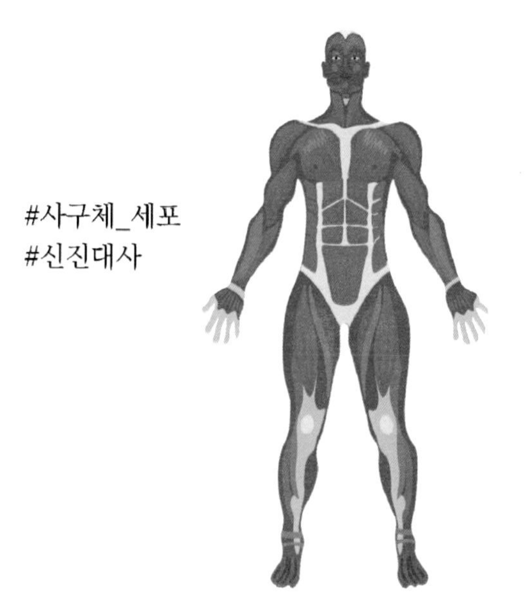

#사구체_세포
#신진대사

신장기능이 저하되면 체내 혈중 산성화가 높아져 pH7.4라는 항상성을 유지하기 위해 수분을 끌어모아 안정을 유지하려고 하는 작용이 몸이 붓는 현상이다. 이러한 원리를 잘 모르면 콩팥 위치에 직접 사혈하는 것이 옳다고 생각할 것이다. 신간혈 위치에 제대로 사혈 해보면 신장의 여과기능이 활성화되어 체내의 불필요한 노폐물이 소변의 이뇨작용을 통해 체외로 배출되는 것을 확인할 수 있는데, 그건 바로 몸의 부기가 빠지는 것이다.

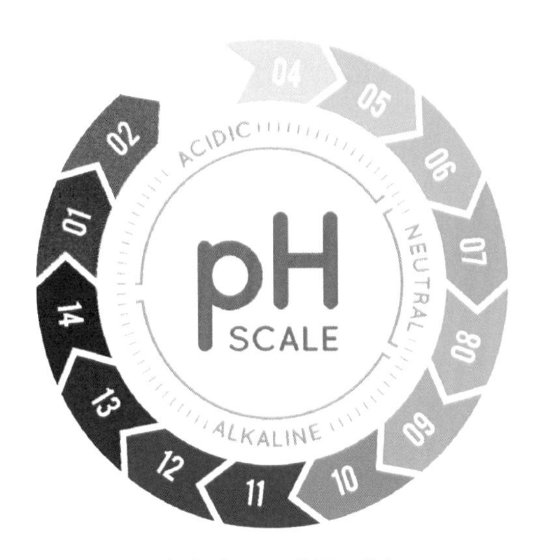

#항상성 #노폐물_배출

여기서 확인할 수 있는 것은 오장육부의 해부도를 확인하는 것도 중요하지만 동물(인간)의 오랜 진화론적인 몸의 구조적 변화로 콩팥 위쪽에 있는 신간혈이 신장 쪽으로의 혈류량 감소와 전류 신호의 약화로 신장의 사구체 세포가 제 기능을 하지 못하게 하는 생리적 구조적 모순을 이해하는 시각이 있을 때 질병의 근원을 바로 이해할 수 있다.

059

심천생리학 처방의 목적

심천생리학에서 처방의 목적은 면역력 강화다. 똑같은 바이러스를 접했는데, 어떤 사람은 세균에 감염되고, 또 어떤 사람은 바이러스에 감염된다. 이유가 뭘까? 면역력 때문이다. 그럼, 면역이 떨어진 원인은 뭘까? 혈액 속의 산소 부족이 원인이다. 산소 부족은 왜 왔느냐? 산도가 높아서. 산도가 왜 높은가? 신장과 간 기능이 떨어져서. 심천생리학은 이런 시각으로 보기 때문에 바이러스를 죽이는 접근이 아닌 면역기능을 키우는 쪽으로, 항체 기능을 회복시켜 주는 쪽으로 발달했다.

심천생리학에서 바라본, 강산

약산과 중산의 혈액 산성화 가중치가 특정 임계점에 도달하면 화학반응으로 칼륨 혈질과 같은 제3의 물질이 생성되는데, 악성 빈혈과 같은 비정상 혈액 상태를 강산이라고 한다.

061

심천생리학에서 바라본, 고열

혈액 속 산소가 부족할수록 면역기능은 떨어지게 된다. 면역기능이 떨어진 상태에서 세균이나 바이러스가 몸에 들어와서 항체와 싸우는 과정에서 고열이 발생한다. 고열이 발생하는 기전은 이미 산성화된 혈액 속의 산소 부족에서 시작된다. 활동이 둔화한 백혈구는 산소소모량이 늘어나고 이를 개선하기 위해서 허열이 발생한다. 이 논리가 맞으려면 해독을 통해서 산소포화도를 높여주는 것만으로도 해열 작용이 일어나는 것을 확인할 수 있다.

062

심천생리학에서 바라본, 뇌성마비

산모의 신장기능 저하로 산성화된 탁혈은 태아의 세포분열에 영향을 준다, 산모의 혈액 환경이 태아에 영향을 미쳐서 체세포 분열 장애를 일으킨다. 이때 태아의 특정 뇌혈관에 기능적인 문제가 발생하면 뇌성마비, 자폐와 같은 병증이 발생할 수 있다.

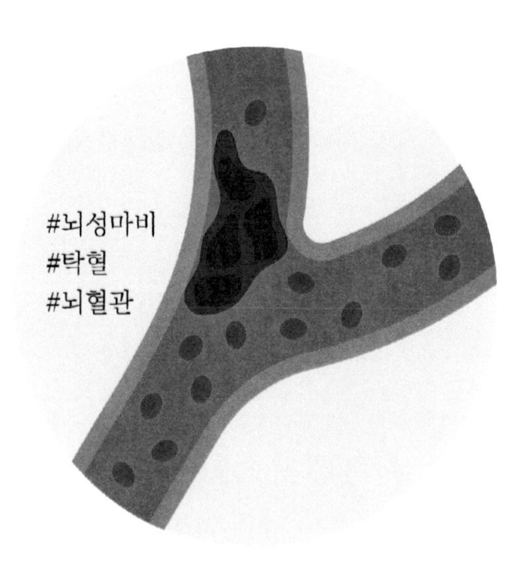

063

심천생리학에서 바라본, 뇌파 장애

혈액의 산성화가 되면 뇌 중추 신경선의 피복이 벗겨져 합선과 누전 현상이 일어난다. 이 과정에서 뇌세포와 체세포 상호간의 전류 신호체계에 오류가 발생하여 자율조절에 문제가 생긴다. 해결책은 산도를 떨어뜨려 신경선 피복이 복원되도록 한다.

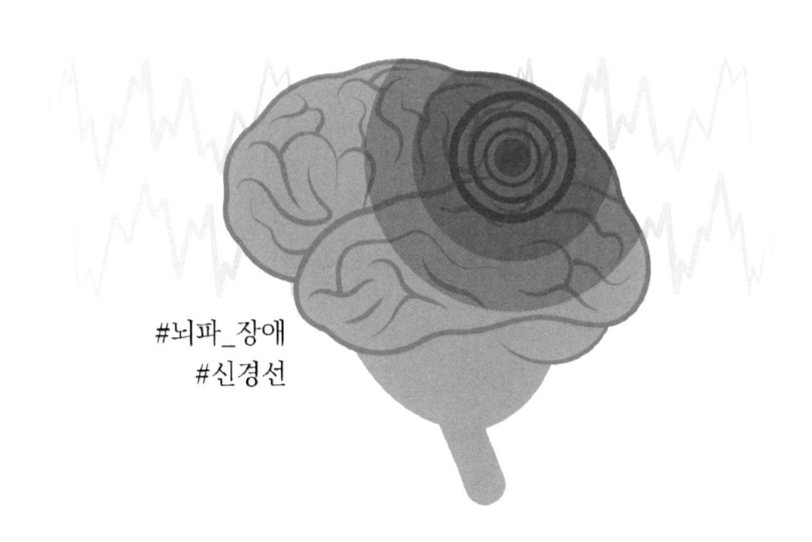

064

심천생리학에서 바라본, 당뇨

고착 당뇨는 췌장의 말초모세혈관이 막혀서 췌장 세포의 배설물인 인슐린을 분비하지 못하는 경우를 말한다. 기복 당뇨는 신장기능 저하의 산소 부족으로 췌장 세포가 소화 능력이 떨어져 불완전한 인슐린이 분비되어 제 역할을 못 하는 경우를 말한다.

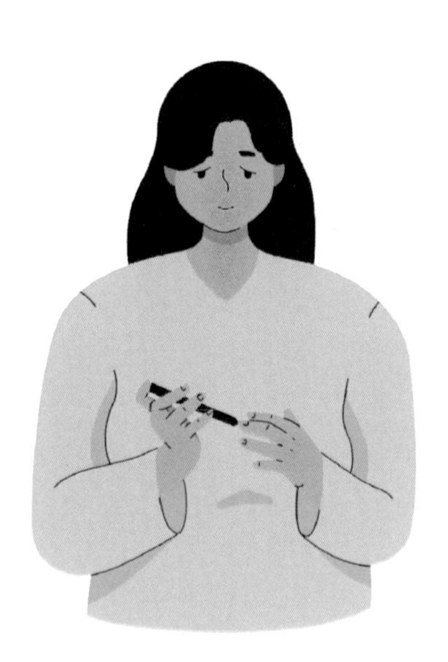

#고착_당뇨
#기복_당뇨
#췌장_세포

기복 당뇨, 특히 당뇨 초기 상태라면 8번혈(신간혈)의 사혈만으로 치유할 수 있다. 해독은 혈중 산소포화도를 높여주어 불완전한 인슐린 분비를 정상적으로 개선한다.

#초기_당뇨
#기복_당뇨
#8번혈_신간혈

065

심천생리학에서 바라본, 독의 기능

- 혈액 속 산소를 고갈시키는 기능
- 혈액 속 여러 물질을 응고시키는 기능
- 모든 물질을 녹여 버리는 기능

✍ 약산·중산·강산에 따라 다르게 나타남

066

심천생리학에서 바라본, 뒤꿈치 굳은살

소장에서 영양분 흡수 기능이 떨어지고, 허리가 막혀서 하체 혈류 흐름에 문제가 생긴다. 혈류량 감소는 세포분열 저하를 일으켜 급격하게 노후 세포가 누적된 것이 발뒤꿈치의 굳은살이다. 6번혈(고혈압혈)과 10번혈(알통혈) 사혈로 굳은살이 떨어져 나가는 현상을 알 수가 있다.

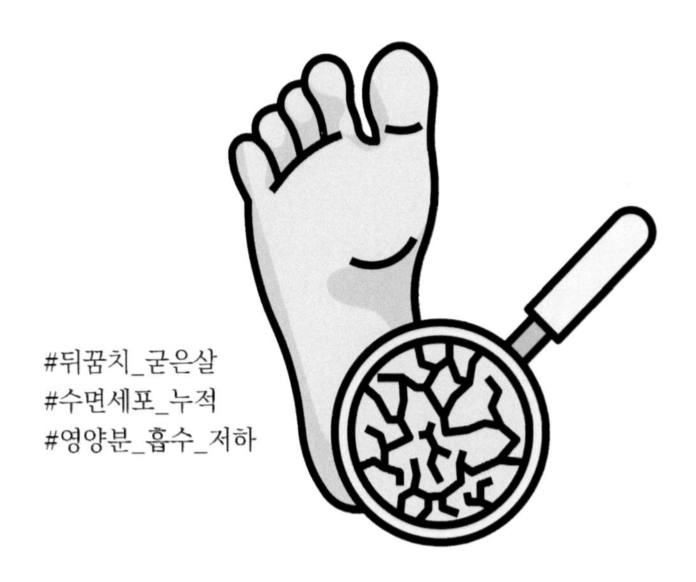

067

심천생리학에서 바라본, 약산

약산은 우리 몸의 신진대사 과정에서 자체적으로 생성된다. 대사 과정에서 발생된 불완전 연소물질인 질소가스가 액체화된 것이 요산이다. 약산(요산)은 식물 속 비린 맛으로 해독할 수 있다.

#질소가스
#불완전연소물질
#비린맛

068

심천생리학에서 바라본, 약산·중산·강산 작용

- 약산 : 혈액 속의 산소를 고갈시킴
- 중산 : 혈액 속의 지방과 단백질 응고시킴
- 강산 : 지방과 단백질 성분은 녹이고, 철분·석회질·칼슘·콜라겐 성분은 화학작용으로 굳게 함

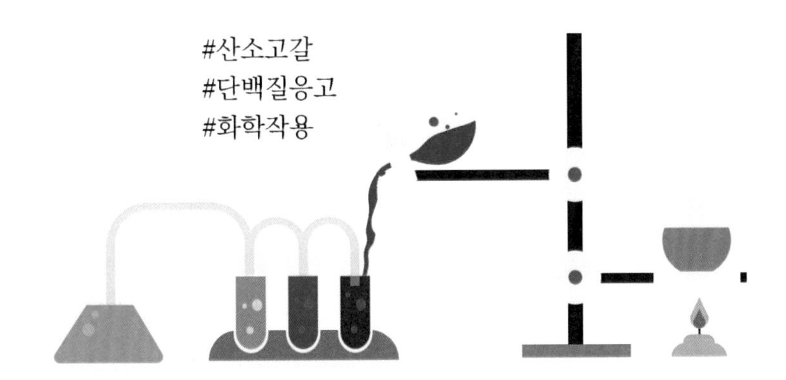

069

심천생리학에서 바라본, 유전?

인체 특정 부위에 혈관이 가늘게 분포된 것까지를 유전이라고 보고, 태중의 착상 이후 후천적으로 형성된 것은 유전으로 보지 않는다. 산모의 탁혈에 의해 태아의 혈관에 문제가 생기거나 분열에 문제가 된 부분도 사혈의 개선 가능성은 있다.

070

심천생리학에서 바라본, 인체의 복원력

인체는 사람이 치유하는 것이 아니라 세포 스스로 치유한다. 우리가 할 수 있는 것은 단 한 가지다. 세포 스스로 복원 치유될 수 있도록 조건만 만들어 주면 된다. 그 조건은 혈관이 열려 있고 맑은 혈액이 늘 유지되는 것이다.

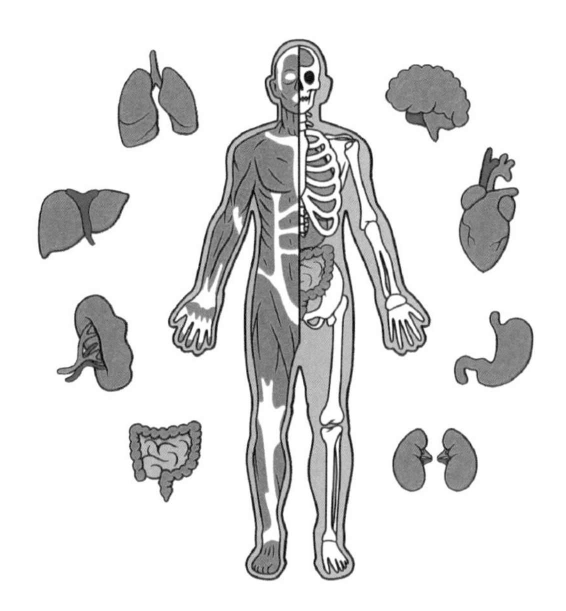

#인체_복원력 #심천생리학

071

심천생리학에서 바라본, 중산

- 음식물을 통해 유입되는 독소로 간의 소화불량으로 축적
- 신맛, 떫은맛, 쓴맛, 아린 맛은 요산보다 한 단계 높은 중산
- 중산 해독은 이독제독으로 떫은 타닌성분이 중화시킴

#외부에서_유입된_음식물

072

심천생리학에서 바라본, 치유 의미

고혈압의 경우, 혈압약을 먹지 않아도 정상적인 혈압이 유지될 때 치유되었다고 본다. 재발 없는 치유란 약물 조절이 아닌 인체 내부의 압력을 스스로 조절하게 하는 것이다. 스스로 조절하게 하는 원천은 기본사혈로써 인체 내부 시스템을 안정화 시킨다.

073

심천생리학에서 바라본, 치유 포인트

심천생리학에서 바라보는 치유 포인트는 세 가지다.

- 첫째, 조혈 기능 여부(분해, 가공, 흡수)
- 둘째, 혈질의 종류 (약산·중산·강산)
- 셋째, 효율적인 사혈이 장기에 미치는 정도

#치유_포인트 #조혈_기능 #혈질

근육 이완이 잘 되고 혈류량이 많은 위치와 사혈로 사정권에 근접할수록 개선 여부가 달라진다.

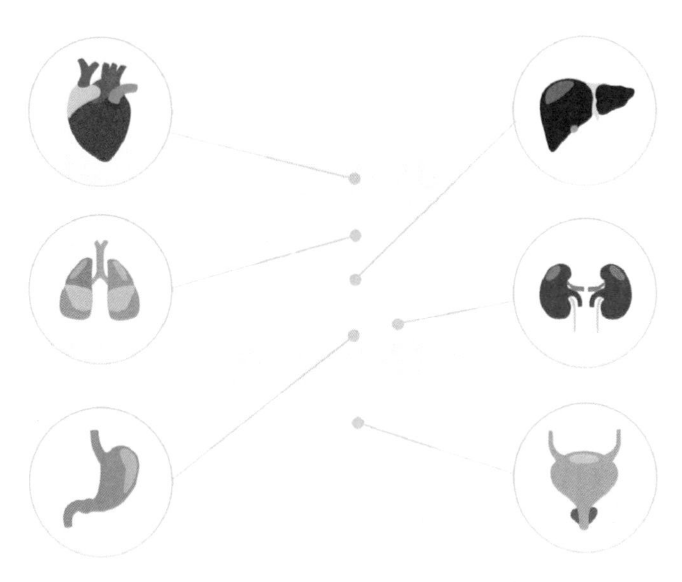

#근육_이완 #혈류량_많은_장기

074

심천생리학에서 바라본, 칼슘 혈질

중산인 타닌산이 어떤 임계점 수치에 도달하면 강한 산성화의 화학반응이 일어나 새롭게 생성되는 물질을 칼슘 혈질이라고 정의한다.

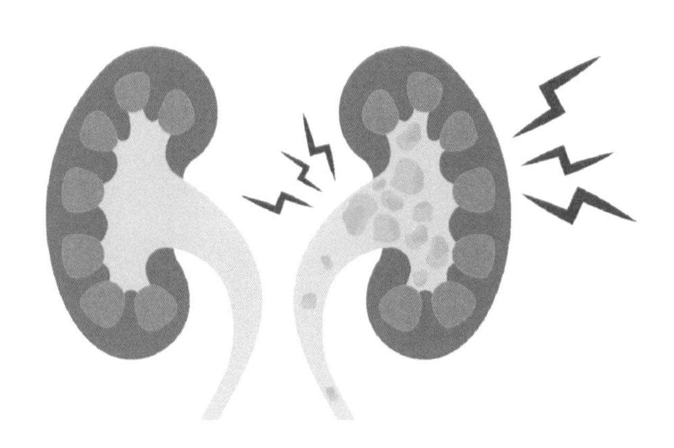

#임계점 #화학반응 #칼슘

075

심천생리학에서 바라본, 타닌산?

신맛, 떫은맛,
쓴맛, 아린맛

타닌산은 식물이 동물로부터 자신의 몸을 방어하기 위한 독이다. 이 독은 흙에서 흡수하여 이차적으로 형성된 해독 작용으로 오리가 중금속을 먹고도 해독(쓸개즙)하는 원리와 같다. 모든 동물과 식물들은 생존 본능 방어기제로 자체 독을 가지고 있다.

#독_개념 #타닌_성분

076

심천생리학에서 바라본, 탁혈의 의미

- 요산 수치가 높다
- 혈액이 오염되었다
- 혈액이 산성화되었다

결론적으로 모두 같은 말이다.

077

심천생리학에서 바라본, 혈질로 보는 암 발생률

약산 상태에서 5%
중산 상태에서 10%
강산 상태에서 85%

078

심천생리학의 처방원리 3가지

- 첫째, 장기 기능 회복
- 둘째, 탁혈 해독
- 셋째, 병적 변이물질 불림

#처방원리

079

안과 질환(황반변성, 녹내장) 원인과 해결방법

시력저하, 황반변성, 녹내장 등 안과 질환의 공통점은 안압이 높다는 사실이다. 이 말은 안압 유발의 입·출구가 모두 막혔다는 의미다. 치유 방법은 안압을 떨어뜨리고 혈액의 유속을 빠르게 하는 것, 그리고 해독으로 혈액을 맑게 하는 것이다.

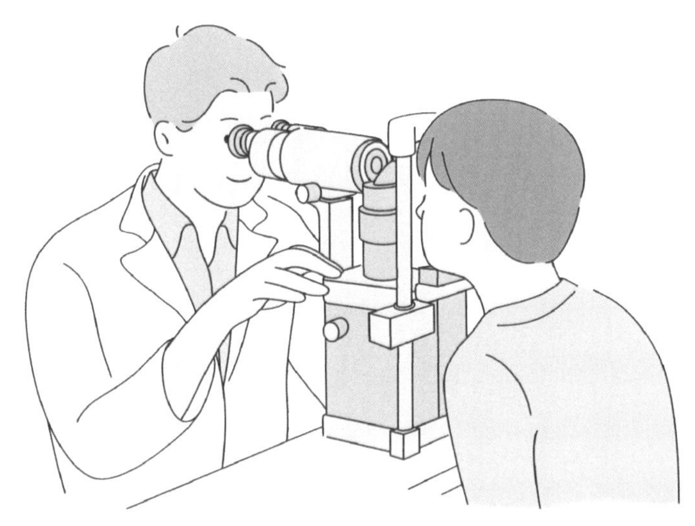

#안과_질환 #황반변성 #높은_안압

사혈점은 8번혈(신간혈)이 피를 맑게 하고, 1번혈(두통혈)과 9번혈(간질병혈)은 안구 쪽로 들어가는 혈이고, 시력혈인 17번혈과 20번혈은 안구 쪽에서 나가는 혈이다. 황반변성의 경우 47번혈인 안구건조증혈 위쪽 가운데만 사혈을 추가한다.

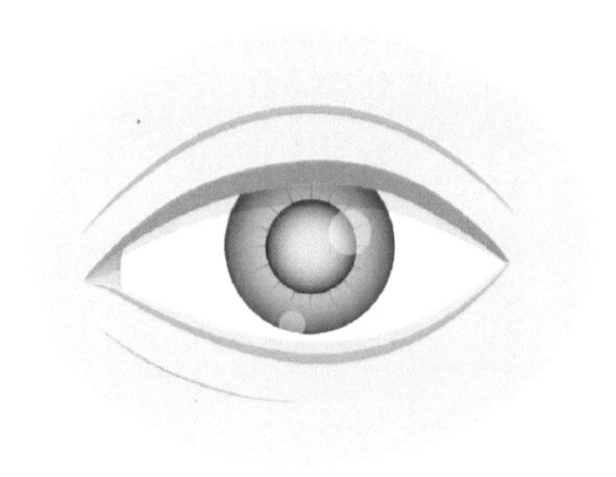

#황반변성 #시력혈 #안구건조증혈

안전 사혈과 질병의 타이밍

질병 해결 타이밍과 안전한 사혈은 너무 피 부족을 두려워하다가는 치유 타이밍을 놓칠 수도 있다. 설령 체력이 받쳐주지 않는다 하더라도 심장마비나 중풍과 같은 다급한 상황이 발생했다면 어떻게 해야 할지 빠르게 판단해야 한다.

#안전_사혈
#질병_해결_타이밍

중풍 환자의 경우 피 부족 때문에 안전 사혈을 고집하다가 치유 시기를 놓쳐서 오랜 세월 누워있게 할 것인가? 과감하게 사혈 해서 기운이 돌아오면 일어설 수 있도록 하는 게 좋은가? 위급 상황에서는 필요에 따라서 119 구급대의 도움을 받아 빠른 대처가 필요하다. 퇴원 이후의 사혈도 기대치는 적지 않다.

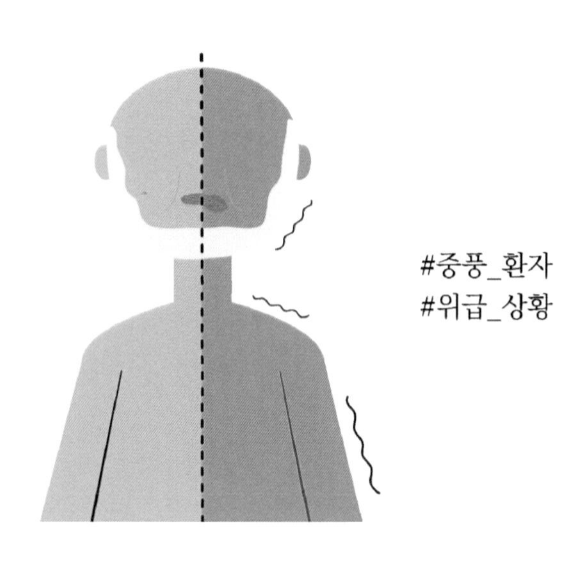

081

약을 끊을 때 주의할 점

혈압약은 6번혈(고혈압혈)과 8번혈(신간혈)의 안정권이 된 후에 서서히 줄이며 끊는 것이 현명한 방법이다. 혈압약을 끊었는데 뒷목(9번 간질병혈 위치)이 뻐근하고 열이 난다면 혈류량이 적어진 신호이므로 끊었던 약을 다시 먹기를 권장한다. 응급 사혈점은 6번혈(고혈압혈)-1번혈(두통혈)-9번혈(간질병혈)이다.

082

'어혈 불림' 적용 시점?

기본 사혈점인 2번혈(위장혈)-3번혈(뿌리혈)-6번혈(고혈압혈)을 3개월간 사혈했는데도 어혈이 안 나온다면, 어혈이 담석화(섬유질화)되었다는 반증이므로 어혈 불리는 기법을 적용하는 것이 현명하다.

#어혈_불림
#담석화된_어혈
#섬유질화된_어혈

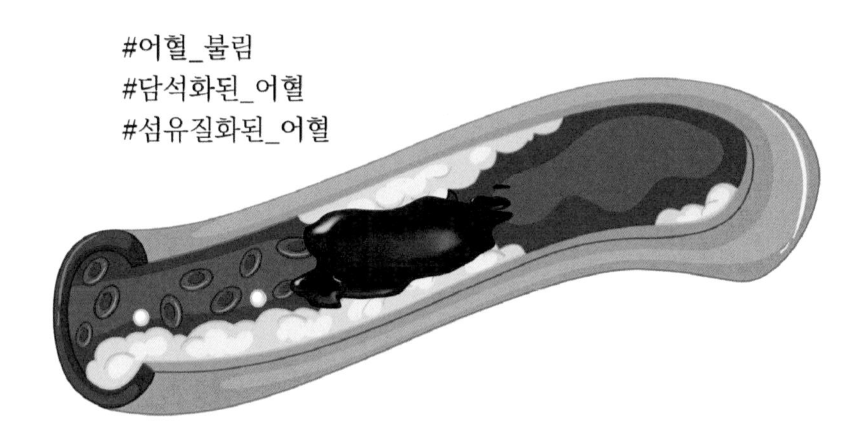

어혈 색깔과 질병

어혈 색깔로 질병을 알 수 있는 시각을 가진다.

- 검은색이 강한 어혈: 간 기능 저하로 간염, 간경화, 백혈병, 아토피, 황달
- 연분홍색 어혈: 저혈압, 빈혈, 신부전, 혈액 산성화
- 우윳빛 액체가 섞인 어혈: 신장기능 저하가 오래되었다는 증거로 고지혈, 고혈압, 당뇨, 고도비만

#어혈_색깔_질병

084

어혈과 고질혈증

어혈은 산(酸)의 화학반응에 의해서 만들어진다. 고지혈증은 소장에서 흡수한 영양분을 체세포가 먹어치우지 못한 만큼 혈액 속에 영양분이 축적된 것을 말한다.

어혈의 불림과 녹이는 기능의 차이

심천생리학의 어혈을 불리는 기능은 강바닥 뻘처럼 어혈을 흩트리지 않고 사혈로 빼내기 위함으로 누적된 중금속도 함께 제거된다. 침투력이 좋은 유지방과 잘게 쪼개는 특정 산(酸)을 이용해 모공으로 딸려 나올 정도로 어혈을 불린 후, 사혈 해야 큰 효과를 볼 수 있다.

#어혈_불리는_기능 #중금속_제거

현대의학의 어혈을 녹이는 기능은 혈전용해제와 같은 약을 이용하여 어혈을 산화작용으로 녹이는 처방이다. 하지만 심천생리학은 미생물 발효 기법의 약산성에 의해서 어혈을 녹이고 불리는 원리이다.

#혈전용해제 #산화작용

어혈이 생성되는 속도?

신장과 간 기능이 떨어져 산도가 높으면 어혈이 만들어지는 속도가 엄청 빨라진다. 이미 병이 깊다는 것은 피가 혼탁하다는 의미이고 어혈이 많다는 얘기다. 그만큼 모세혈관도 잠식되었다.

#어혈생성_속도
#신장기능_저하
#간기능_저하

어혈이 쌓이는 순서

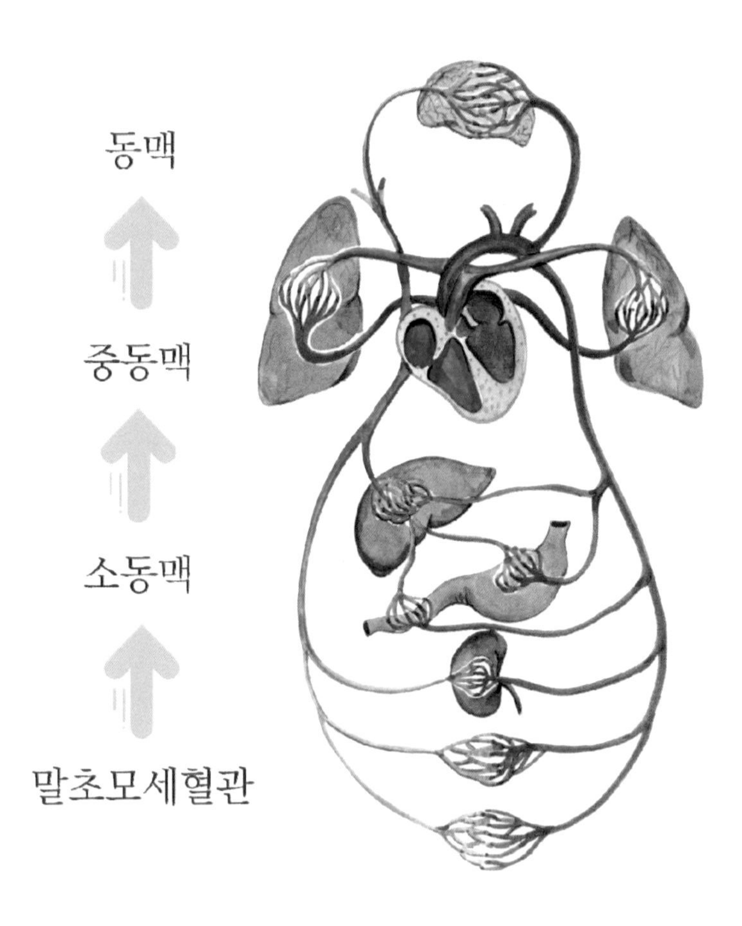

088

엉덩이 발달과 혈액순환 관계

봉긋한 엉덩이는 엉덩이 쪽의 핏길이 막힘없이 내려와서 영양 공급을 해주면 된다. 하지만 어혈이 자꾸 내려와서 엉덩이 쪽을 막아 버리면 혈액이 엉덩이 쪽으로 못 내려가고 옆으로 돌게 되어 있다. 혈액이 엉덩이 측면으로 우회하여 엉덩이가 양쪽으로 커지게 된다. 나이가 들수록 엉덩이가 옆으로 퍼지는 이유다.

6번혈인 고혈압혈 위치에 어혈이 쌓이면 납작한 엉덩이가 된다. 영양공급이 안 되어 체세포들이 고사되었기 때문이다.

089

염분 농도에 대한 진화론

우리 혈액의 염분 농도? 눈물의 염분 농도? 약 0.9%로 생리식염수와 같다. 인간 태초의 생명체는 바다에서부터 탄생해서 육지로 올라왔다. 민물에서 오랜 세월 진화한 생명체를 바닷물 속에 집어넣으면 어떻게 될까? 죽거나 살기 힘들 것이다. 바닷물고기를 민물에 넣어도 살기 힘든 건 마찬가지다. 대상의 환경에 맞게 진화했기 때문이다.

#염분농도
#진화론
#태초_생명체

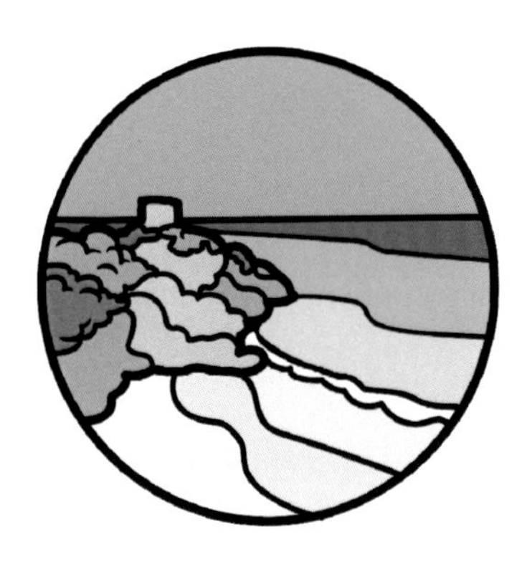

염분 부족의 부작용 증상 2가지

- 첫째, 이유 없이 손발 또는 몸 전체에 허열이 나는 경우
- 둘째, 온몸에 한기가 들면, 몸 일부 또는 전체에 식은땀이 나는 경우

#염분_부족
#부작용 #허열
#한기 #식은땀

091

염증에 대한 새로운 시각

염증에는 항생제나 연고보다 사혈이 훨씬 빠르다. 혈관을 열어 주면 우리 몸의 백혈구가 세균을 잡아먹기 때문이다. 그렇지만 사혈에도 한계점이 있다. 사혈의 사정권이 멀거나 산소 부족으로 백혈구가 무기력해서 염증이 있는 곳까지 접근하지 못하면 세균을 물리치지 못한다.

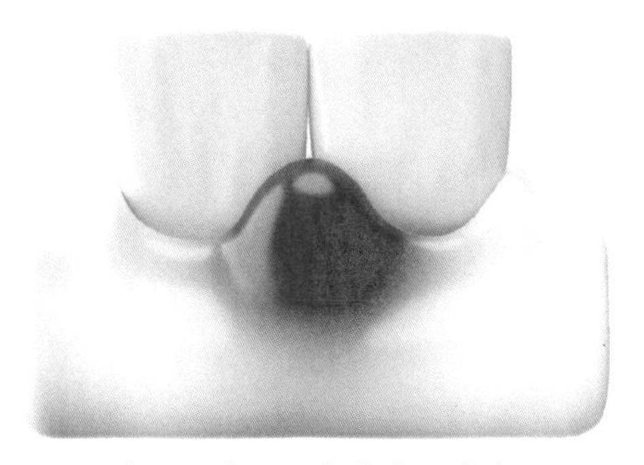

#염증 #세균 #항생제 #백혈구

092

영양부족과 피부작용

우리 몸속의 세포가 주기적으로 바뀌려고 하면, 그 과정에서 영양분이 필요하다. 만약 몸에 영양이 부족해서 세포분열을 못 하면 피부에 수면 세포가 누적되어 모공이 닫혀 버린다. 소화하지 못한 지방·단백질과 같은 영양분이 모공을 통해서 밖으로 밀고 나오려고 하지만 피부층에 갇혀 버리고 만다. 노화로 모공이 닫혀 있지만, 우리 몸은 모공을 통해서도 질소가스와 개기름이 밖으로 밀려 나온다. 질소가스의 기체가 액체화된 것이 산(酸)이다.

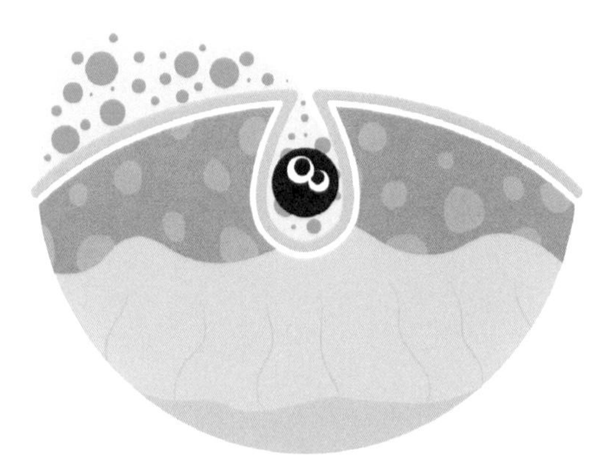

#영양부족
#수면세포
#피부 #모공

093

영양분·철분 부족의 부작용

영양분과 철분이 부족한 초기에는 팔다리에 힘이 빠진다. 이어서 부종, 숨 가쁨, 귀울림, 창백한 얼굴, 노란빛 얼굴 순으로 악화한다. 이때 영양분과 철분을 보충해 주지 않고 방치하면, 사혈을 하기 전보다 몸 상태가 더 악화할 수 있으므로 주의가 필요하다.

#귀울림 #창백한_얼굴 #노란빛_얼굴

영양분의 독성과 약성

우리가 먹는 음식은 독성이 강한 것도 있고 약한 것도 있다. 즉 음식이 약이 되기도 하고 독이 되기도 한다. 음식물을 통해 들어오는 신맛, 떫은맛, 쓴맛, 아린 맛은 식물이 자신의 몸을 방어하기 위해서 지니고 있는 것으로 독이라고 본다. 신맛, 떫은맛, 쓴맛, 아린 맛의 타닌성분을 법제하여 약성으로 이용한다.

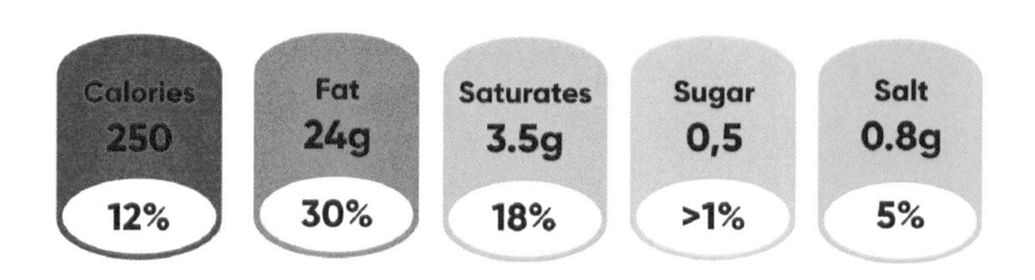

#영양분 #독성 #약성 #타닌성분

'요발탄인'의 처방의미

약산은 요산 해독으로 앞글자만 따서 '요', 중산은 타닌성분이 그대로 있는 것은 '탄', 발효시켜서 법제한 것은 앞글자만 따서 ‘발’, 그래서 '발탄'이라고 한다. 강산 해독제는 인 성분의 '인'이라고 한다. ‘요발탄인’은 약성의 처방에 대한 기본 공식과 같은 용어이다.

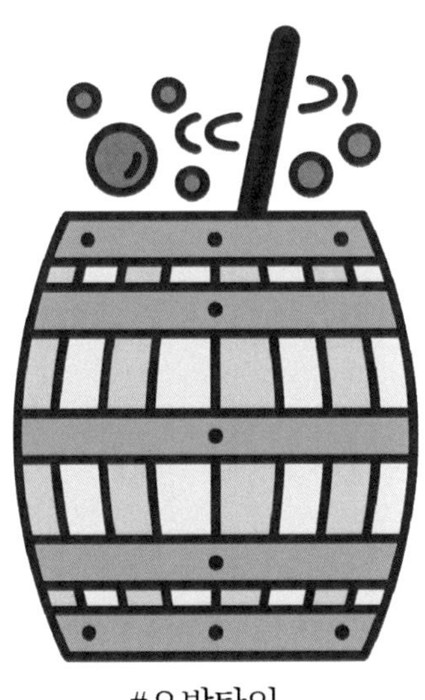

#요발탄인

096

요산의 정체와 생성

사혈을 하다 보면 부항캡 내부의 어혈 상부층에 맑은 액이 고인 것을 보게 된다. 신진대사물의 결과물인 요산이다. 요산은 혈액순환이 안 되고 건강하지 못한 사람에게서 더 잘 생성된다. 요산을 제거하고 싶은 욕심에 잘못된 사혈 즉, 건부항을 세게 걸거나 부항캡을 오래 방치하는 행위는 바람직하지 않다. 사혈로 혈액순환이 원활하게 이루어지면 요산은 현저히 줄어든다.

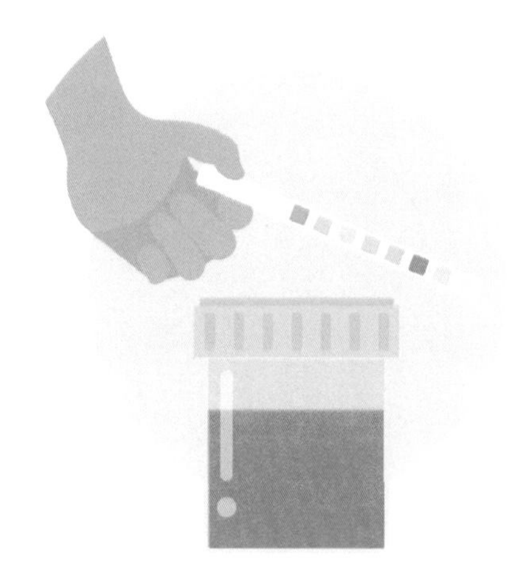

#요산 #요산_생성

097

요통이 오는 기전

어혈이 혈관을 막으면 피가 못 돌고, 산소공급이 원활하지 않아 근육이 경직된다. 근육이 이완되지 않는 상태에서 강제로 당기면 근조직이 파괴되는 것으로 해당 위치에서 통증이 온다.

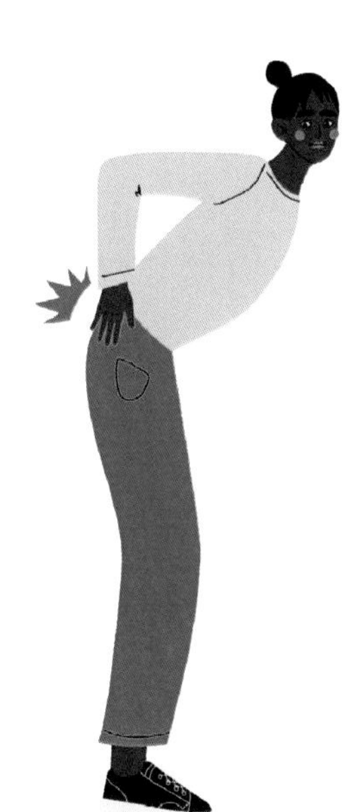

#요통 #어혈
#근육_경직
#조직_파괴

098

위경련 응급처치 방법

위경련은 배가 경직되기 때문에 팔다리가 안으로 오므라든다. 통증이 너무 심해서 똑바로 누울 수가 없다. 사혈점은 30번혈(급체혈)을 먼저 사혈하고, 2번혈(위장혈)과 5번혈(협심증혈)을 사혈 해주면 위경련은 풀어진다. 위장의 긴장이 심장을 압박하여 숨을 쉴 수 없을 만큼 통증이 심해진다.

099

음식과 약, 그리고 독

우리가 먹는 음식 중에서 약 아닌 게 있을까? 모두 약이다. 어떤 재료를 막론하고 성분과 기능의 이치를 알고 먹으면 약이 되고, 모르고 먹으면 음식일 뿐이다. 어떤 대상과 화학반응에 의해서 음식이 약이 되고, 약이 독이 되기도 한다.

#음식_약 #성분_기능

건강식이란 혈액을 맑게 유지하는 것이다. 독성분을 먹었다 하더라도 해독의 균형을 맞춰주면 된다. 과거에는 열량 높은 음식을 먹는 것이 치유였다. 하지만 요즘은 영양분 과다로 혈액이 탁해져 건강에 문제가 생기고 있다. 만병의 근원이 신장기능 저하이듯 탁해진 혈액을 해독하는 것이 건강의 기본이다.

100

응급 사혈 우선순위 판단 기준

● 증상에 따른 판단

결과 치유와 효과 빠른 곳부터 접근한다. 생명의 위협을 느낄 수 있는 경우, 사망할 수 있는 경우, 장애로 발전할 수 있는 경우. 예) 고열의 응급처치는 8번혈(신간혈)사혈, 심장마비는 5번혈(협심증혈)사혈 후 죽염수와 해독제를 적용한다.

● 환경에 따른 응급처치

환자의 응급상태에 따라서 병원의 도움을 받는 것이 바람직하다. 하지만 상태가 경미한 경우에는 해당 부위의 소통을 위해 응급 사혈을 적용하면 빠른 회복이 기대된다.

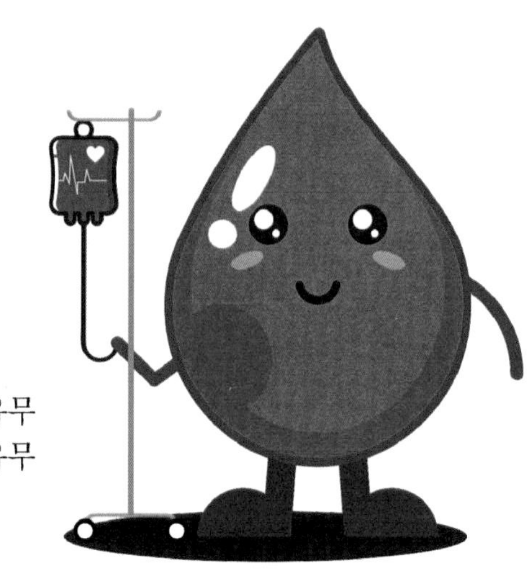

101

응급 사혈 주기

응급 사혈은 하루 쉬고 그다음 날 사혈하고, 어혈이 좀 잘 나오면 이틀 쉬고 그다음 날 사혈 한다. 그런데 오늘 사혈하고, 내일 바로 사혈하지 않는 이유는 뭘까? 사침한 피부가 발적되어 과민하고 아프기 때문이다. 적어도 2~3일 간격은 두는 것이 좋다. 사침한 자리가 성이 나면 혈관이 수축하여 사혈을 해도 어혈 잘 안 나온다. 증상의 완화 정도를 살피면서 4~5일 간격으로 늦추며 관리를 한다. 단 조혈의 한계점을 알고 보사의 균형을 맞추는 지혜가 필요하다.

#응급_사혈
#사혈_주기

102

응급 사혈: 증세에 따른 우선순위

심장마비와 뇌출혈이 동시에 발생했다면 심장마비부터 먼저 해결하는 것이 맞다. 혹여 심장마비만 발생했지만 피부족으로 중풍이 온다 하더라도 생명과 직결되기 때문에 5번혈(협심증혈)과 30번혈(급체혈)을 사혈하는 것이 우선이다. 생명만 살아있다면 뇌출혈은 이후에도 개선의 여지가 충분히 있기 때문이다. 이외에도 환자의 병세가 응급을 다투는 정도에 따라 사혈 한다. 혈액산성화의 가중치가 심한 황반변성이나 녹내장은 응급 사혈이 필요한 곳이다.

103

이해력과 암기력 UP?

현대 사회는 배워야 할 것이 많다. 공부를 잘하려면 뇌세포가 끊임없이 분열할 수 있도록 혈액순환이 잘 돼야 한다. 컴퓨터를 그냥 켜 놓을 때와 일을 할 때 에너지 소모량이 다르다. 뇌도 마찬가지다. 뇌가 왕성한 활동을 할 때와 휴식할 때 산소소모량은 다르다. 두뇌로 말초 모세혈관을 소통시켜주는 것이 뇌세포 재생·분열을 활발하게 해준다. 뇌세포분열 기능을 왕성하게 하는 것이 이해력과 암기력을 높이는 방법이다.

#뇌세포 #산소_소모량

- 암기·판단력 부족 시: 1번혈(두통혈)과 9번혈(간질병혈) 사혈
- 이해력과 사고력 부족 시: 17번혈(시력혈) 사혈

인슐린의 역할

인슐린은 다양한 영양물질이 모세혈관을 잘 통과하여 체세포에게 전달될 수 있도록 한다. 혈액 밀도가 높아서 산소가 부족해지면 고지혈과 같은 고밀도 영양소의 분리 기능이 약해진다. 신장·간장·췌장 기능의 개선으로 혈액의 산성화를 개선해 정상적인 인슐린 분비를 돕는다.

105

인체내 혈액의 혈질 차이

동맥에서 앞으로 나가는 혈질이 다르고 정맥에서 들어오는 혈질이 다르다. 인체의 말초모세혈관은 똑같이 막힐까? 모두 다르다고 봐야 한다. 말초 모세혈관이 막힌 만큼 혈질(유속, 혈액양, 영양, 산소, 노폐물 등)이 환경이 모두 다르다.

#혈질_다름
#혈액_유속_다름

106

인체에 축적된 독 3가지

- 신장기능 저하의 요산 독 : 약산
- 간 기능 저하의 타닌성분 독 : 중산
- 신장과 간 기능 저하로 강산의 화학반응으로 화학적 성분 수치가 높아져 새롭게 생성된 칼륨 혈질 : 강산

107

인체 생리에 대한 관점의 전환

인체의 체세포는 독자적 영성을 가진 생명체다. 각자 자신이 처한 환경에 살아남는 적응적 깨우침을 가지고 공생 관계에 있다. 인체뿐만 아니라 지구상에 있는 모든 생명체는 그 환경에 살아남는 방법을 깨우쳤기 때문에 존재한다.

#독자적_생명체
#체세포 #공생관계
#미생물_집합체

108

인체의 자연치유에 대한 시각

우리 몸은 스스로 치유한다. 사람이 치유하는 게 아니다. 사람은 세포가 스스로 재생할 수 있도록 환경을 만들어 줄 뿐이다. 그럼, 그 환경이라는 게 뭘까? 피를 맑게 해주고 피가 만들어지는 데 필요한 영양분을 넣어주는 것이다. 모세혈관이 막힌 곳을 소통시켜서 세포에 영양을 공급해 주는 것이 사람이 해줄 수 있는 최선이다. 치유의 주체는 체세포다.

#자가치유_능력 #복원_환경

109

인체의 적응적 진화에 대한 이해

'적응적 진화는 대상에 대한 진화다'. 대상에 대한 진화라고 하는 것은 무엇을 두고 하는 말인가? 쉽게 말해서, 한국 사람은 한국에서 살아남는 방법을 깨우쳤다. 추운데 사는 사람은 추운 데서, 더운데 사는 사람은 더운 데서, 물과 육지에서, 산소가 많고 적은 곳, 질소가스의 농도가 높고 낮은 곳 등. 각 생명체가 그 환경에서 살아남기 위해 적응한 것이 대상에 대한 진화다. 그 자체가 곧 면역력이다.

#적응적_진화
#대상에_대한_진화

110

인체의 혈관은 어떻게 동작하는가?

우리 인체 말초모세혈관은 50%가 막혀도 질병에 대한 징후가 나타나지 않는다. 혈관은 고정이 아니기 때문이다. 하나가 막히면 옆으로 돌고 우회하여 끊임없이 혈액이 돈다. 심장은 최악의 상황에서도 멈추지 않고 피를 품어내는 데 최선을 다한다. 질병이 발생했을 때는 어혈이 혈관을 얼마나 막았을지 상상해 볼 일이다. 쌓인 어혈의 양은 상상 이상일 것이다.

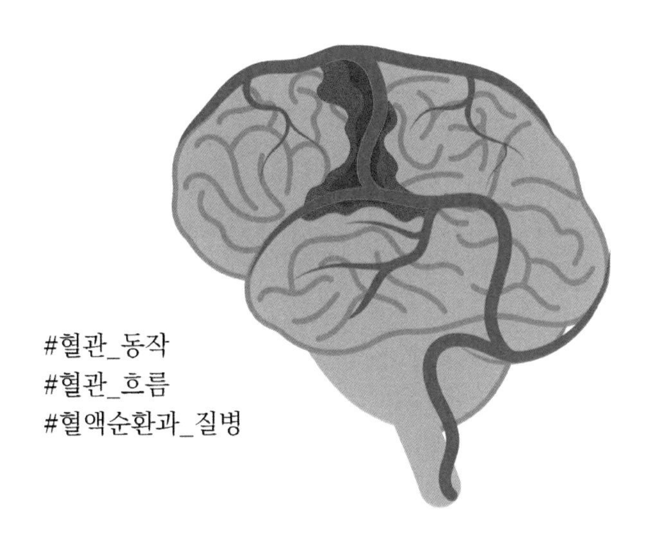

#혈관_동작
#혈관_흐름
#혈액순환과_질병

111

일반암 vs 백혈병 vs 혈액암

- 일반암 : 체세포가 비정상적으로 세포분열을 빨리한 것
- 백혈병 : 혈액 속에 사는 혈구가 비정상적으로 늘어난 것
- 혈액암 : 혈액 물질이 강산에 의해서 3차 화학적 변이한 것

공통점? 강산

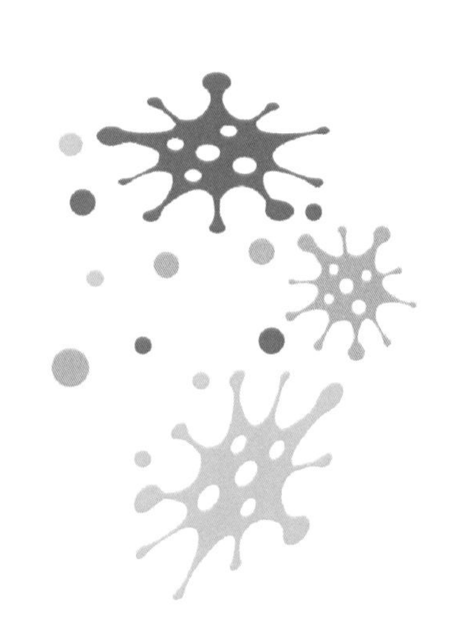

112

임산부 사혈 금지 이유

임산부는 절대로 사혈하면 안 된다. 산모가 태중 아기의 세포 분열 과정에 신장의 혈액 정화기능에 문제가 생긴다. 이때 탁혈이 태아의 분열에 영향을 주면 소아 성인병에 노출이 될 가능성이 있다. 임신 중에는 발효 기법의 해독 기능을 적용하면 태아에 미치는 영향을 최소화할 수 있다.

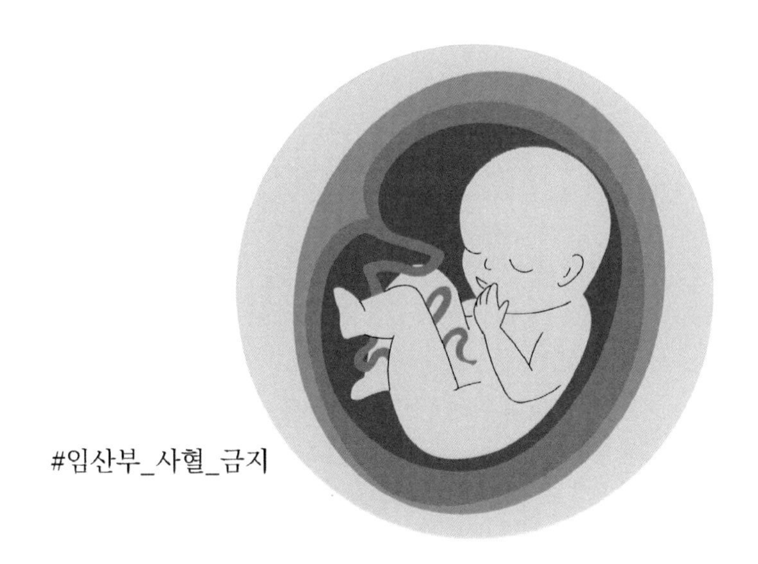

#임산부_사혈_금지

113

작은 질병 vs 큰 질병

작은 병과 큰 병의 차이는 신장과 간 기능 저하의 정도 차이다. 신장기능이 30%, 50%, 70% 저하됨과 동시에 간 기능에 문제가 생기면 혈액 산성화에 따른 3차 합병증이 야기된다.

질병의 차이?

장 속 유산균과 식중독균

장 속에 사는 미생물은 약 5만 종류 이상이다. 미생물은 같은 영양분을 먹고도 지방·단백질·당을 배설하는 유익균이 유산균이다. 반면 같은 영양분을 먹고도 장내 환경에 따라서 강산을 배설하는 유해균이 식중독균이다.

#유산균
#식중독균
#장_속의_미생물

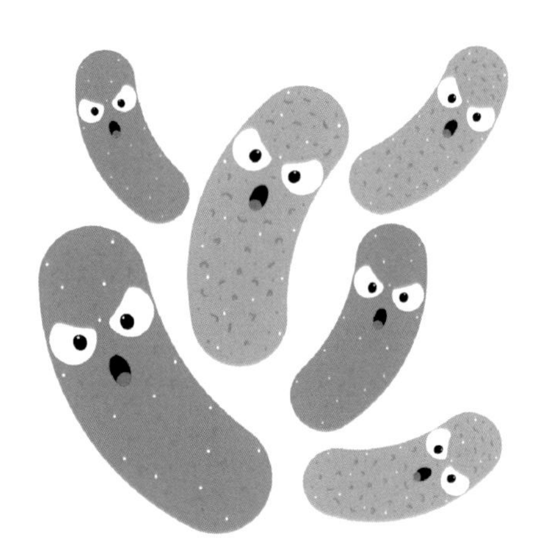

115

정상 혈액의 개념

인체 모든 생명체가 영양분을 먹고 소화한 배설물이 합쳐진 것이 혈액이다. 앞 단계의 먹이를 먹고 소화한 성분이 수많은 화학반응을 통해서 가공된 물질이 총체적으로 혈관에 합쳐진 것이다. 즉 인체 먹이사슬의 대사 과정에서 형성하고 가공된 다양한 성분이 정상 혈액이다.

#정상_혈액
#체세포_배설물

정상 혈액은 우리가 눈으로 보면 선홍빛으로 빨갛고 혈액이 맑고 깨끗한 상태다. 더불어 인체의 말초 모세혈관을 적혈구가 순조롭게 통과할 수 있을 정도로 pH 7.4의 약알칼리성 혈질이다.

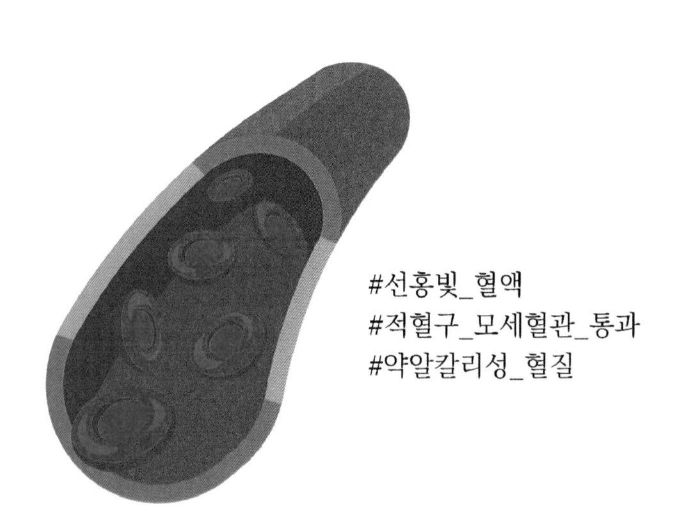

116

조혈보충에 대해 알아둘 점

단순어혈, 섬유질화된 어혈, 담석화된 어혈의 종류에 따라 어혈을 불리는 시간이 필요하다. 담석화된 어혈은 혈질이 강산성이다. 산성도가 높은 혈질일수록 영양분을 산화시키기 때문에 조혈이 안 되어 빈혈이 많다. 그러므로 사혈할 때 조혈보충(영양·염분·철분)에 특히 신경 써야 한다.

#단순어혈
#섬유질화된_어혈
#담석화된_어혈

죽염이 해독?

죽염은 고열로 법제하는 과정에서 대나무와 유황성분이 항산화 효소의 생성으로 해독 기능을 하여 세포를 활성화한다. 혈액의 산성을 알칼리화하는 작용이 있다. 죽염 하나에 집중하기보다는 몸 전체의 여러 가지 균형을 맞추는 것이 중요하다.

#죽염 #해독_기능

118

중산, 강산을 쓰는 결정은?

어혈을 불리는 기전에서 중산, 강산을 쓰는 결정은 병명과 혈액 빛깔로 구분한다. 혈관이 많이 막힌 곳과 열린 곳은 산도 차이가 난다. 신장과 간 기능 저하에 따른 혈액 산성화 차이점이다. 강산에 의한 화학반응으로 담석 물질이 생기고, 산화 과정으로 혈관이 약해져 피부가 붉게 상기되고 팽창된다. 팽창 정도는 산성도가 결정한다.

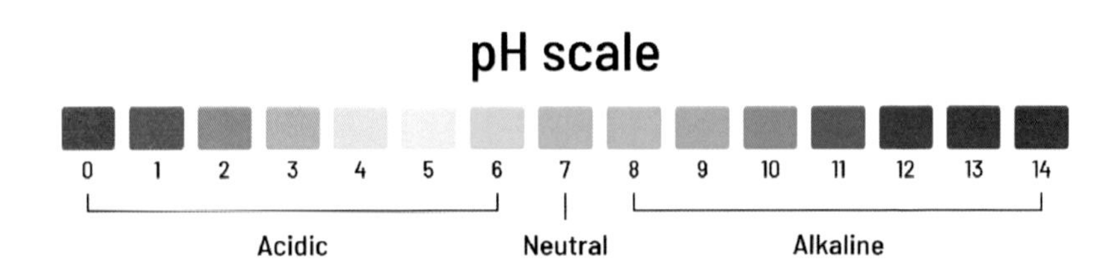

#중산 #강산 #진액 #강산_해독제

● 중산

산도가 조금 높아도 물질을 녹이거나 중병을 일으킬 소지가 작으면 진액과 중산 해독제를 적용한다.

● 강산

높아진 산이 위급한 중병을 일으킬 정도의 병증은 산화작용으로 혈액 속 영양분을 녹여 조혈 자체가 이루어지지 않는다. 이때는 진액과 강산 해독제를 적용한다.

#중병 #산화작용 #진액 #강산_해독제

119

질병을 바라보는 시각 차이 현대의학 vs 심천생리학

현대의학은 질병의 원인을 보는 시각이 결과론적이다. 발병 원인의 생리적 작용은 과학의 현미경으로 알 수 없다. 심천생리학은 결과 치유가 아닌 원인 치유로 접근한다. 인체의 본래 기능을 몸 스스로 활성화하는 생리이치 학문이다.

#질병을_보는_시각

120

질병의 회복 속도 차이?

질병이 회복되려면 막힌 혈관을 소통시켜 맑은 혈액 공급과 유속을 빠르게 하는 것이다. 강산 혈액을 해독시키고 맑은 혈액을 막힘없이 순환시켰을 때, 세포의 복원 속도는 차이가 클 수밖에 없다.

#오염된_혈액 #깨끗한_혈액
#혈액의_유속

121

질병이 오는 기전

밀도가 높아진 혈액이 어느 혈관을 막느냐에 따라 다양한 질병을 일으킨다. 동공을 막으면 시력이 저하되고, 뇌 쪽 혈관을 막으면 뇌 질환이 생긴다. 1번혈(두통혈) 자리를 막으면 뇌 기능이 저하되고, 5번혈(협심증혈) 자리를 막으면 협심증과 같은 심장 질환이 발생한다. 혈관의 막힌 정도에 따라 체세포 조직의 문제로 여러 가지 통증과 병적 변이 현상들이 질병이다.

122

체세포와 노후화 현상

피부는 외부 환경에 대한 보호막으로 인체 내외 소통의 1차 방어막이다. 체온 조절을 위한 땀의 분비, 체온 보존을 위한 지방의 형성을 피부가 한다. 노화가 진행되면 모공이 조절되지 않고 모공이 개방되거나 막혀버린다. 수명을 다한 노폐물 일부는 피부 보습제 역할도 하지만, 소화되지 못한 영양분이 개기름 형태로 밀려 나오기도 한다. 피부 노화의 증거는 주름, 검버섯, 두껍고 늘어짐, 탄력 저하로 나타난다.

#체세포 #노후_세포

123

체지방이 발생하는 생리이치

- 단계 1: 신장기능이 저하된 상태에서 어혈이 혈관을 막은 만큼 유속이 느려진다.
- 단계 2: 혈액 유속이 느린 곳은 산소 포화도가 떨어진다.
- 단계 3: 산소가 부족하면 체세포는 소화 능력이 떨어진다.

#체지방 #생리이치
#체세포_소화_능력_저하

- 단계 4: 체세포들은 고칼로리 영양분을 소화하지 못해 모공을 통해서 밖으로 밀어낸다.
- 단계 5: 밀려 나온 영양분은 근육막 사이는 물론 인체의 다양한 위치에서 산과 화학반응을 일으켜 지방세포에 저장된다.
- 단계 6: 이것이 체지방이다.

#근육막_사이
#산의_화학반응
#지방세포

124

치매 치유에 대한 시각

뇌세포분열 기능이 퇴행성으로 손상된 것이 치매다. 뇌세포분열 기능이 왜 저하되었을까? 뇌 쪽으로 들어가는 치매 단백질 공급 라인인 혈관이 막힌 만큼 혈액 공급량이 줄어들어 뇌세포 분열이 되지 않은 탓이다. 수면 세포의 누적과 같이 새로운 정보를 가공하지 못하고, 입력되지 않는 것이 치매 현상이다. 치매는 어떻게 해결하면 될까? 뇌 쪽 모세혈관을 소통시켜 영양공급 라인의 혈액 공급량을 늘려 주면 된다. 그 방법이 사혈이다. 조건만 갖추어지면 뇌세포는 언제든지 분열할 수 있다.

#치매 #뇌세포분열 #혈액_공급량

125

큰 사업가 vs 작은 사업가

자신이 하는 일이 많은 사람에게 이로우면 큰 사업가이고, 적은 사람들에게 이로우면 작은 사업가이다. 자신만 이롭게 하는 사업은 망하는 사업이다. 이치 법으로 보지 않고 덧셈 뺄셈을 적용해서 하루에 몇 개 팔면 얼마가 남을 것이라는 단순한 수학적인 생각을 하면서 사업을 한다면 이미 실패는 정해져 있다. 물질의 가치는 눈에 보이지 않는 마음 작용이다. 이와 같은 이치를 아는 사람이 사업의 크기를 결정한다.

#큰_사업가 #작은_사업가

126

통증 없다 vs 통증 심하다

사혈을 함으로써, 통증이 없는 사람은 어혈이 나올수록 통증을 느끼는 것이 정상이고, 통증이 심한 사람은 적당히 통증이 줄어들어야 정상이다. 통증은 혈관이 막힌 정도에 따른 체세포의 과민반응이다. 혈관이 90% 이상 막히게 되면 무감각으로 넘어간다.

사혈과 통증

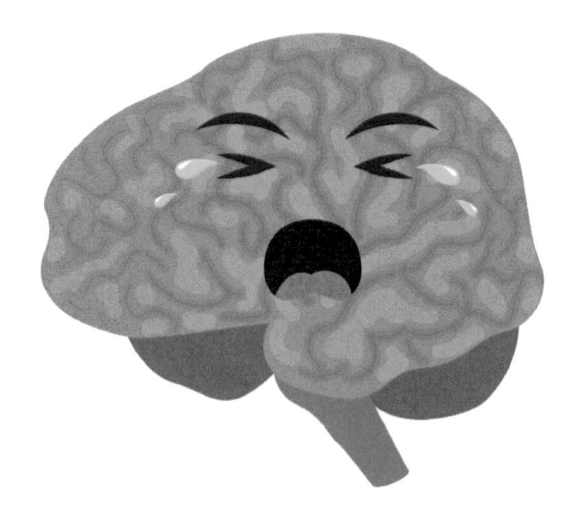

127

통증의 접근방법과 이해

통증은 혈액의 강산성화 때문이다. 강산이 체세포의 보호막을 녹이는 과정에서 통증이 발생한다. 심천생리학에서는 풍치, 통풍, 대상포진과 같은 증상을 마취 기능이 아닌 해독하는 약리 기능으로 통증을 해결한다. 통증은 산의 강도와 비례한다.

#강산과_통증
#체세포_보호막
#통증_해결법

128

통증에 따른 압력 조절

근육이 경직된 상태에서 부항기 압력을 세게 걸면 피부가 짓눌려서 아프다. 이럴 때는 부항기 압력을 약하게 걸어야 아프지 않고 어혈도 잘 나온다. 마사지와 온열기로 근육을 이완시킨 후 압력을 걸면 강제 눌림에 대한 과민성은 줄어든다.

#통증 #부항기_압력_조절

129

한 단계 낮은 독으로 해독한다는 의미

해독은 인체에 피해를 주지 않으면서 피를 맑게 정화하는 것이 목적이다. 해독할 때는 한 단계 낮은 약성을 사용한다. 독성 수치가 10이라고 가정하면, 해독은 9~8 정도만 적용해야 한다. 만약 그 이상을 넣으면 해독되지 않거나 독으로 작용할 수도 있다.

#해독의_원리 #한_단계_낮은_독

130

항생제 끊는 시점?

생혈이 30% 정도 어혈과 섞여 나오면 새로운 혈관이 열렸음을 뜻한다. 사혈을 하면서 항생제를 끊는 시점은 8번혈인 신간혈에서 어혈반 생혈반이 나올 때부터다. 이때를 기점으로 항생제를 줄여본다. 단, 약은 버리지 않고 가지고 있다가 약이 필요할 때는 다시 적용하도록 한다.

131

항생제에 대한 의문

'쥐도 쥐약을 먹어야 죽는다.' 뼈 있는 소리다. 우리가 항생제를 먹는 목적은 무엇인가? 몸속에 침투한 세균이나 바이러스가 죽으라고 먹는 거다. 그런데 혈관이 막히면 항생제 성분이 염증 있는 데까지 갈 수 있을까? 혈관이 막혀있으면 당연히 접근하지 못한다. 혈관이 열렸다면 항생제를 한 번만 먹어도 죽어야 한다. 쥐도 쥐약을 한번 번 먹으면 죽듯이 쥐약을 몇 번씩이나 먹어야 죽는 건 아니다. 결국, 혈관이 열려야 항생제가 제 기능을 한다.

해독원리?

이독제독의 원리란? 독과 독이 만나면 중화되어 해독되는 것을 말한다. 해독하고자 하는 독보다 한 단계 낮은 독을 처방하는 것이 해독의 핵심이다. 독은 대상에 따라 작용이 다양하다.

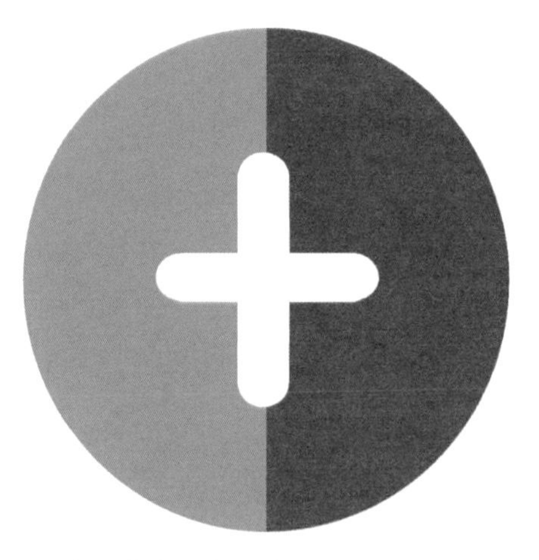

#해독원리 #이독제독 #해독_핵심

133

헤모글로빈 수치와 보사의 균형

- HB 수치 10 이상일 때, 일반적인 보사의 균형 적용
- HB 수치 7~8 사이일 때, 진액 + 강산 해독제 반드시 적용
- HB 수치 7 이하일 때, 특수진액 + 강산 해독제 반드시 적용

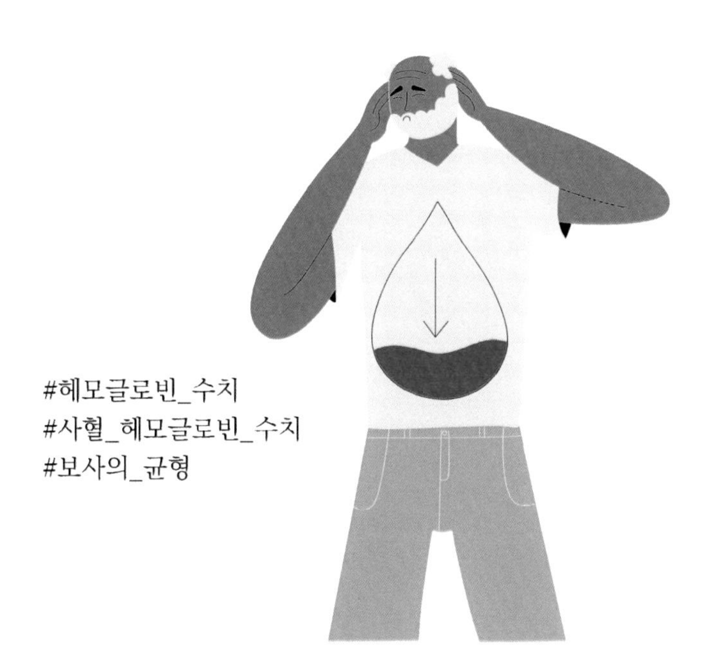

#헤모글로빈_수치
#사혈_헤모글로빈_수치
#보사의_균형

134

현대인의 스트레스

현존하는 모든 생명체는 자연에 순응하며 공생공존 한다. 이것을 어기면 그 생명체는 도태된다. 유일하게 인간만이 이 자연의 법을 어기며 살고 있다. 자연 생태계의 먹이사슬에서 벗어난 대가로 인간은 고통과 스트레스라는 벌을 받고 있다.

#스트레스 #공생공존

135

혈관 구조에 대한 비유

심장 다음에는 대동맥-중동맥-소동맥-모세혈관이 있다. 이 혈관들은 한 라인으로 이어져 있다. 혈관 구조를 화분에 적용해 보자. 화분 밑에는 심장이 있다고 생각하고, 가운데 기둥이 올라온 게 동맥, 옆의 가지는 소동맥, 가지 끝에서 이어진 잔가지는 모세혈관이다.

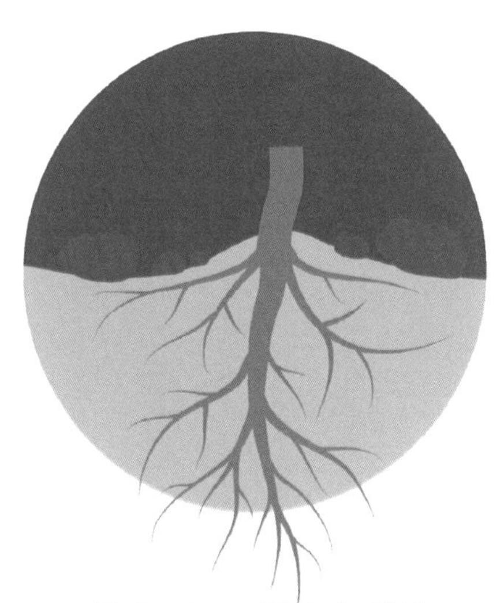

#혈관_구조 #혈관과_화분

136

혈관 구조와 어혈의 발생

동맥, 소동맥, 모세혈관 중에서 가장 가는 건 말초 모세혈관이다. 혈관에 찌꺼기가 쌓인다고 가정했을 때, 가장 먼저 쌓이는 곳은 어디일까? 말초 모세혈관이다. 동맥이 막혔다는 말은 이 동맥과 연결된 말초 모세혈관은 훨씬 이전에 어혈이 쌓이고, 모세혈관을 이미 막아왔다는 의미가 된다.

#혈관_구조
#어혈_발생

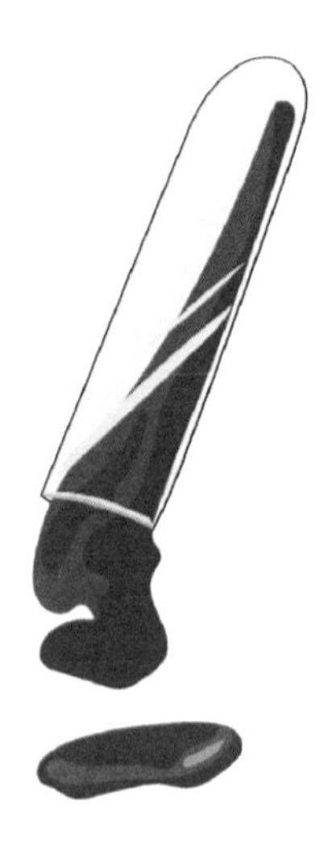

137

혈관 조형술의 함정

혈관이 막혀서 조형물질이 들어가지 못한 곳은 어떻게 진단할까? 모세혈관이 막혀서 피가 돌지 못하는 곳은 사진상 노출되지 않는다. 형광물질이 조영되지 않는 곳은 혈관이 사진상 나타나지 않는다. 의학 장비의 단점은 말초 혈관이 막혀있는 위치를 모두 진단하기 어렵다는 것이다.

138

혈관이 막히면 어떤 환경이 되는가?

두부를 만들기 위해서 두유에 간수를 넣는다. 이때, 간수를 조금만 넣으면 어떻게 될까? 아주 소량만 넣으면 응고가 잘 안 될 것이고, 간수를 많이 넣으면 응고 속도가 빠를 것이다. 우리 몸도 마찬가지다. 어혈의 생성 속도와 양은 혈액 산성도와 비례한다. 산성도는 오장기능 저하와 혈관이 막힌 정도에 따라 다르다.

#두부_간수
#두유_응고_속도

신장기능이 떨어지면 요산인 약산 수치가 올라가고, 간 기능이 떨어지면 중산 수치가 올라간다. 혈관이 막힌 곳은 상대적으로 산도가 더 높아진다. 혈액 속의 산도가 높을수록 두유에 간수를 많이 넣는 것처럼 어혈의 생성 속도는 매우 빨라진다.

#혈액속_산도 #어혈_생성_속도

139

혈관이 막히면 어떤 문제가 생기나?

우리 인체의 말초 모세혈관은 50%가 막혀도 아무런 질병이 없다. 즉 질병에 대한 징후가 나타나지 않는다. 징후가 없다는 것은 건강한 상태라서가 아니라 체세포가 증상을 느끼는 임계점에 도달하지 않은 상태일 뿐이다. 시간이 지나 추가로 어혈이 쌓이는 특정 시점에 병증과 질병으로 나타난다. 운 좋게 병증이 없다고 하더라도 체세포가 퇴화하여 무감각 상태가 될 뿐이다.

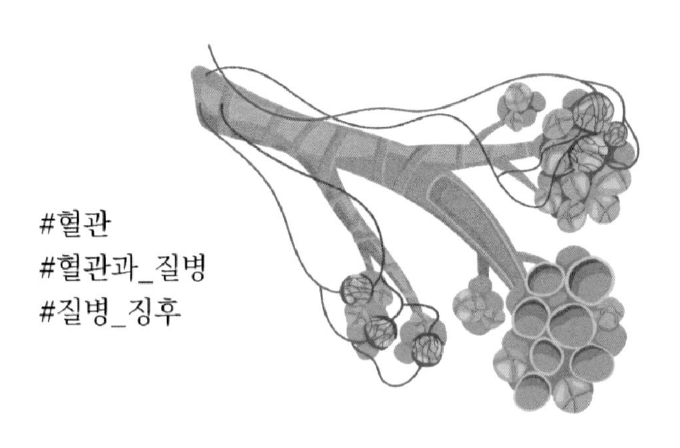

자연에서도 강물이 해마다 만곡이 달라지고 막히면 우회한다. 마찬가지로 우리 몸도 일상의 움직임과 과부하에 따라 막힘과 열림에 따라 혈관이 사라지고 생성된다. 인체 시스템은 늘 항상성을 유지하고 미세 신경망으로 감시하고 있다. 혈관이 막히면 자율조절 시스템에 문제가 생겼다는 것을 의미한다.

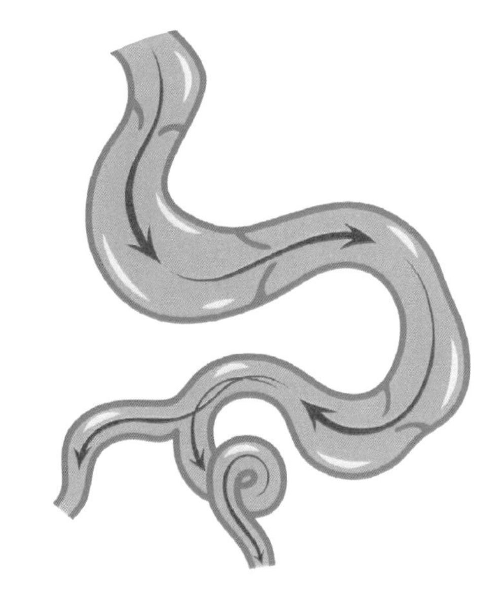

#몸_시스템 #혈관_팽창 #말초모세혈관

140

혈액 성분에 따른 어혈의 구분

혈액을 성분학적으로 접근해 보면, 정상적으로 혈관을 잘 돌고 있는 생혈도 지방·단백질이고, 화학반응에 의해서 응고된 것도 지방·단백질이다. 어혈의 밀도·포화도·산폐도·점도 차이만 있을 뿐이다. 기존 성분학 시각으로 보면 어혈은 존재하지 않는다.

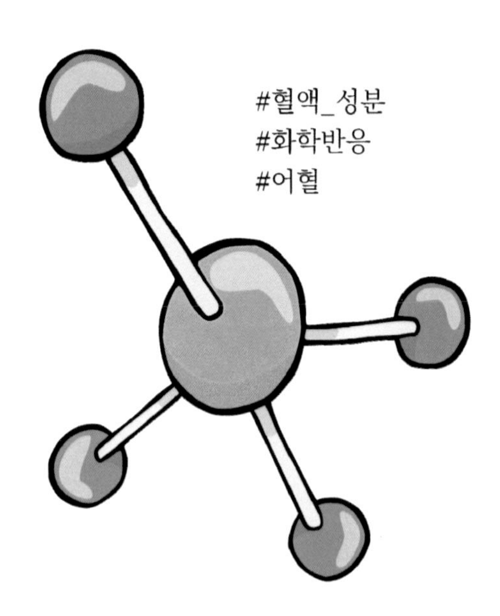

141

혈액과 조혈 기능의 이해

젊고 건강한 사람은 3개월을 사혈 해도 피부족이 적게 온다. 반면에 어떤 사람은 같은 양을 사혈 해도 한 달 만에 피부족이 나타난다. 왜 그럴까? 조혈 기능 즉, 혈액을 생성하는 기능이 저하되었기 때문에 재생불량성 빈혈을 앓고 있다. 혈액 산성화가 원인이므로 강산을 해독해주고, 신장과 간 기능을 개선하여 혈액을 맑게 해줘야 한다.

#혈액 #조혈_기능 #재생불량성_빈혈

142

혈액암의 기전, 그리고 해결방법

심천생리학에서는 혈액암에 대해 명확하게 짚어놨다. 혈액이 정체되면 약산이 중산이 되고, 중산은 강산이 된다. 강산이 되면 모든 영양분을 녹이고 여러 가지 합병증을 일으킨다. 혈액 속 화학반응에 의해서 혈구가 비정상 변이를 하는 것이 혈액암이다. 혈액암의 원인 물질인 강산을 해독하고 다시 산성화되지 않도록 신장과 간 기능을 개선 시켜야 한다. 이미 담석이나 섬유질화 되어 있는지에 따라 녹이는 처방을 이용한 후 사혈 한다.

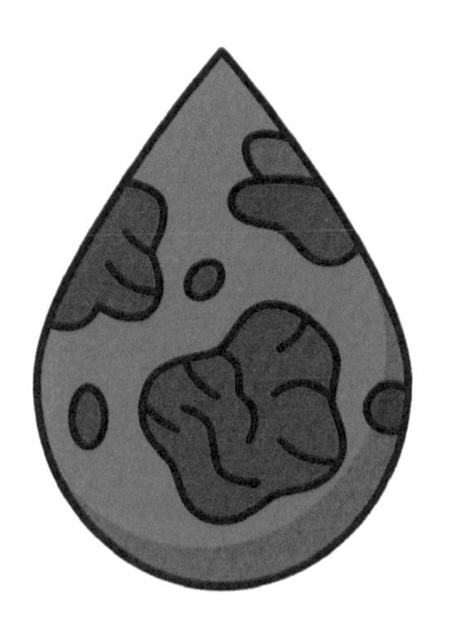

#혈액암
#혈액암_기전
#강산_해독

143

혈액의 산도가 높아지면 어떤 일이 일어나는가?

혈액 산도가 높아지면 다양한 생리적 변화와 잠재적으로 건강에 문제가 발생한다. 혈액의 산성도가 일정 수준(약산성)에 도달하여 산소가 부족해지면, 지방과 단백질이 응고되어 고지혈과 같은 현상이 나타난다.

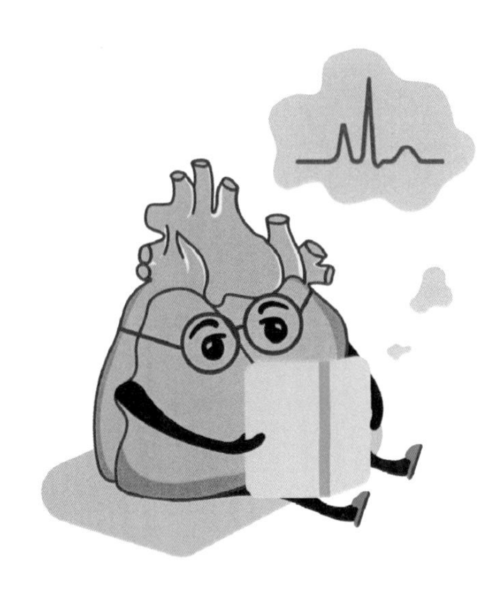

#혈액_산성도
#생리적_변화
#산소_고갈

산성도가 '중산' 수준까지 높아지면 어혈 밀도가 더 높게 응고되어 고혈압이 시작한다. 산성도가 '강산' 수준에 이르면 모든 물질이 용해되고 흔히 '썩은 피'라고 불리는 혈액질 칼륨(담석)이 형성된다. 혈액의 산성도가 더 극에 이르면 암, 백혈병, 간경변증과 같은 심각한 증상으로 바뀔 수 있다.

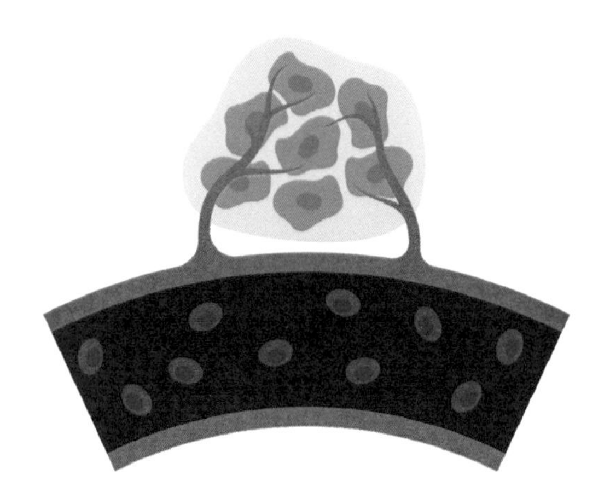

#혈액_산성도 #썩은_피 #각종_암

144

혈액의 색깔과 정도의 차이

정상 혈액은 눈으로 보면 붉고 밝은 선홍색을 띤다. 혈액이 노란빛이 돌면 신장기능이 떨어졌고, 검푸른 빛이 진해지면 간 기능이 떨어진 것이다. 사혈을 해서 피부가 짓무르면 혈액이 강산이고, 어혈이 잘 나오면 단순 어혈이고, 어혈이 나오지 않고 딱딱하면 섬유질화 된 어혈이다.

#혈액_색깔
#정상혈액
#붉고_밝은_선홍색

145

혈액의 응고 반응에 대한 이해

혈액 속에 있는 다양한 영양분은 응고 반응 물질인 산도가 있다. 심천생리학에서는 응고되는 산성의 임계점을 '꼭짓점 수치'라고 한다. 꼭짓점 수치를 두부에 적용했을 때, 간수가 적게 들어가면 연두부가 되고, 많이 들어가면 단단한 두부가 된다. 혈액 응고도 산성도와 비례하며, 추가로 혈관이 막혀 유속이 느린 곳의 어혈 생성 속도가 더 빠르게 나타난다.

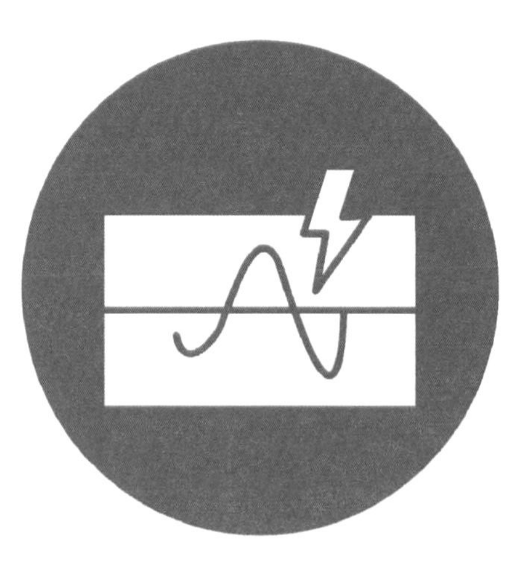

#혈액_응고 #임계점 #꼭짓점_수치

146

혈액의 흐름과 신체 기능

말초 모세혈관이 30% 막혔을 때, 50% 막혔을 때, 70% 막혔을 때 혈액의 유속이 다르다. 혈액의 유속이 느릴수록 산소공급량은 적어지고, 생명체들은 소화 능력이 떨어져 몸의 항상성이 무너지게 된다. 모든 질병은 신장기능 저하로부터 시작된다.

#혈액_흐름 #산소공급 #세포의_소화_능력

147

혈자리가 원 혈에서 이탈할 때

피부와 근육 긴장도에 따라 부항캡이 이동하기 쉽다. 이 현상은 첫째, 노화로 인해서 늘어졌을 때 둘째, 긴장으로 수축한 경우에 발생한다. 이 상태에서 사혈을 할 때는 매번 혈자리를 다시 잡는다는 마음으로 새로 잡아줘야 본래 원혈자리를 유지할 수 있다.

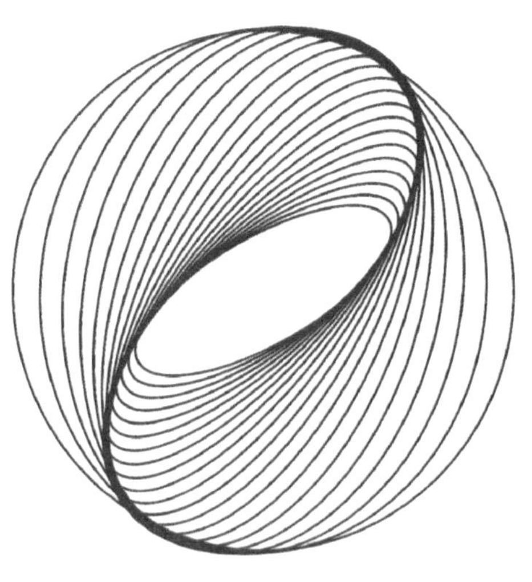

#혈자리_이동 #피부와_근육_긴장도

148

혈전 용해제의 부작용

혈전 용해제는 말 그대로 지방, 단백질 등의 모든 물질을 산화작용으로 녹이는 산화제다. 혈액 속에 있는 지방, 단백질뿐만 아니라 혈소판과 혈관 벽도 함께 녹이는 부작용이 있다. 혈관 벽을 자꾸 부식시키면 혈관이 약해져 터지기 쉽다.

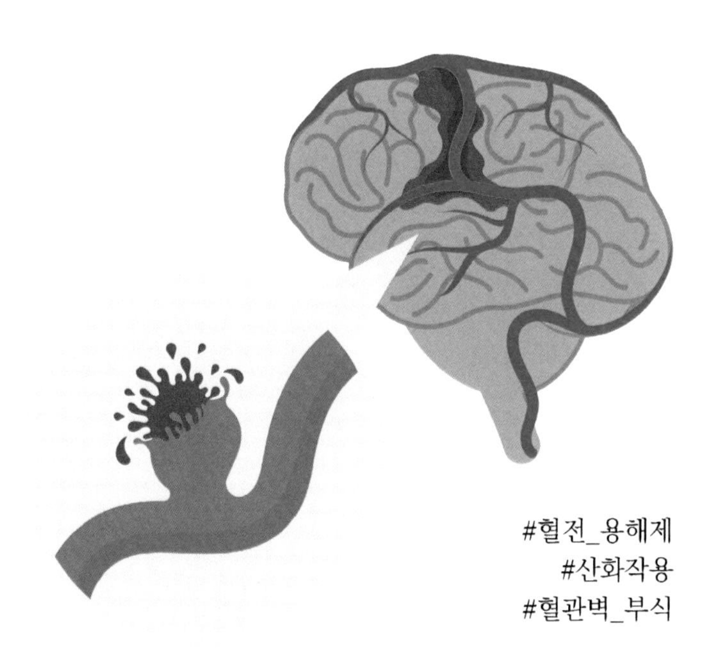

#혈전_용해제
#산화작용
#혈관벽_부식

149

혈전 용해제의 산화작용

혈전 용해제를 한 알만 먹으라고 했는데 두 알을 먹고 있었다면 악성빈혈이 오기 쉽다. 혈전 용해제를 미량만 써야 하는데 강하게 써버리면 혈관 자체가 약해서 터지기 쉽다. 심천생리학에서는 발효 미생물 기법으로 강산의 해독 적용과 어혈을 녹이고 불린다는 개념을 적용한다. 그래야 부작용 없이 녹일 수 있다.

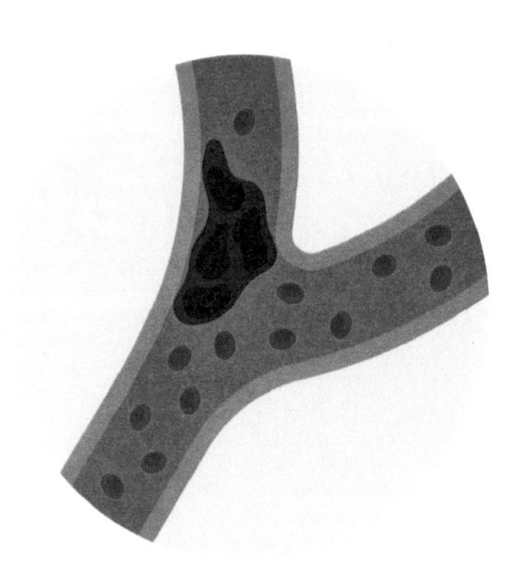

#혈전_용해제
#산화작용
#악성빈혈

150

화학반응에 의한 간경화

산에 의해 형성된 담석 물질이 화학반응으로 간에 가서 굳으면 간경화가 된다. 화학반응은 인체 어느 부위에도 발생할 수 있다. 피부 표면에 가서 굳으면 거북 등이 되거나 담석과 같은 물질을 생성한다. 처음부터 간경화가 되는 것은 아니다. 신장기능 저하로 간염과 지방간으로부터 시작된 3차 합병증이라는 사실을 인식해야 한다.

#화학반응
#간경화 #담석_물질

나는 사혈하고, 세포는 치료한다

발　행 | 2024년 03월 25일
저　자 | 김연준
펴낸이 | 최인선
펴낸곳 | 미르
등록일 | 2023.12.20.(제2023-000008호)
전　화 | 063-244-8740
팩　스 | 0504-485-8741
이메일 | conion@hanmail.net

ISBN | 979-11-987020-0-5